BIENVENUE !

BIENVENUE !

34 auteurs pour les réfugiés

inédit

Éditions Points

Les Éditions Points tiennent à remercier
tout particulièrement l'homme à la moto.

*Tous les bénéfices de la vente de cet ouvrage
seront intégralement reversés au Haut Commissariat
des Nations Unies pour les réfugiés.*

ISBN 978-2-7578-5861-5

Sommaire

Mot de l'éditeur 9
Pour aider les réfugiés en situation d'urgence . . . 11
Le Haut Commissariat des Nations Unies pour les réfugiés 13

Olivier Adam 19
Pénélope Bagieu 27
Nicolas Bedos 29
Edmond Baudoin 59
Tahar Ben Jelloun 61
Geneviève Brisac 69
Charles Berberian 77
Sorj Chalandon 79
Philippe Claudel 83
Marie Darrieussecq 87
Philippe Delerm 93
Stephanie Blake 95
Mathias Enard 97
Laurent Gaudé 103
Gauz 107
Jul 117
Brigitte Giraud 119
Régis Jauffret 125

Plantu 127
Lola Lafon 129
Alain Mabanckou 133
Pascal Manoukian 137
Joann Sfar 141
Isabelle Monnin 143
Claude Ponti 145
Jean-Michel Ribes 149
Olivier Tallec 151
Lydie Salvayre 153
Abdellah Taïa 157
Philippe Torreton 163
Minh Tran Huy 165
Lewis Trondheim 171
Valérie Zenatti 173
Alice Zeniter 181

Quelques partenaires du HCR 187

Les mobilisations collectives et les prises de position citoyennes ont été aussi nombreuses en cette longue année 2015 que l'actualité a été terrible. La récente image d'un enfant échoué sur une plage a soulevé un haut-le-cœur international et accéléré la prise de conscience.

Après la sidération, il nous a semblé urgent de donner la parole à des hommes et femmes publics afin de constituer un recueil de textes et de dessins sur le thème de l'asile et de ceux qu'on appelle désormais les réfugiés.

Les Éditions Points ont décidé de prendre leur part de responsabilité, à la mesure de la violence des mots entendus et des images vues.

PATRICK GAMBACHE
Directeur général
des Éditions Points

Pour aider les réfugiés en situation d'urgence

Grâce à votre soutien, le HCR :

• délivre des kits de sauvetage contenant une couverture thermique, une serviette, de l'eau, des barres énergétiques à riche valeur nutritive, des vêtements secs et des chaussures ;

• met en place des centres de réception où les réfugiés pourront être enregistrés et recevoir des soins médicaux vitaux ;

• fournit des abris d'urgence pour les plus vulnérables ;

• aide et soutient les mineurs non accompagnés par une prise en charge spécifique.

Chaque don fait la différence :

• 50 € : des sacs de couchage pour toute une famille, pour rester au chaud la nuit ;

• 100 € : des matelas synthétiques pour dix familles, pour les empêcher de dormir à même le sol ;

• 220 € : des kits de sauvetage d'urgence pour huit personnes ;

• 500 € : une tente pour mettre une famille à l'abri de la pluie et du froid.

Le Haut Commissariat des Nations Unies pour les réfugiés

Un peu d'histoire…

Créé en 1950, au lendemain de la Seconde Guerre mondiale, pour venir en aide aux Européens déplacés par le conflit, le Haut Commissariat des Nations Unies pour les réfugiés (HCR) a un mandat initial de trois ans pour accomplir son travail. Il est ensuite voué à disparaître. Face à l'ampleur de la tâche, son mandat est prolongé jusqu'à la fin de la décennie, et c'est en 1956 que le HCR est confronté à sa première situation d'urgence majeure : l'exode des réfugiés lors de l'écrasement de la révolution hongroise par les forces soviétiques. Dès lors, l'utilité du HCR ne sera plus jamais remise en question.

Quelques chiffres :

- Les collaborateurs du HCR sont présents dans 125 pays ;
- Ils s'occupent de 54,9 millions de personnes : 32,3 millions de déplacés internes ; 14,4 millions de réfugiés ; 1,9 million de retournés et rapatriés ; 3,5 millions d'apatrides ; près de 1,8 million de demandeurs d'asile et 1 million d'autres bénéficiaires ;
- L'action du HCR lui a valu de recevoir deux fois le prix Nobel de la paix, en 1954 et en 1981.

Les missions

L'objectif premier du HCR est de sauvegarder les droits et le bien-être des réfugiés et apatrides. Il cherche à garantir à toute personne asile et refuge dans un autre État, tout en préservant la possibilité pour elle de retourner, librement ou volontairement, dans son pays d'origine, de s'intégrer sur place ou de s'installer dans un pays tiers.

Dans la phase d'urgence, le HCR et ses partenaires mettent tout en œuvre pour porter assistance et couvrir les besoins essentiels des populations réfugiées, notamment en distribuant des vivres, en construisant des abris, en facilitant l'accès à l'eau potable, aux soins et à l'éducation des enfants. Dans un second temps, le HCR encourage l'autosuffisance des populations et développe les moyens de subvenir de façon autonome à leurs besoins.

Lorsque la paix et la sécurité sont rétablies, le HCR aide les États à trouver des solutions d'avenir pour les réfugiés, dont le retour volontaire dans leur pays. Malheureusement, seuls 126 000 d'entre eux ont été en mesure de rentrer chez eux en 2014. Ce chiffre n'a jamais été aussi faible.

Une urgence humanitaire sans précédent en Europe et en Méditerranée

Depuis le début de l'année 2015, plus de 750 000 personnes ont traversé la Méditerranée, entreprenant des voyages périlleux depuis la Syrie, l'Irak, l'Afghanistan, l'Érythrée, le Soudan et d'autres pays déchirés par la guerre, la persécution et de terribles tragédies humaines. Parmi elles, nombreuses sont celles qui quittent les pays de premier asile (Turquie, Liban, Jordanie…) en raison d'un financement insuffisant des programmes d'assistance humanitaire aux réfugiés mis en œuvre par le HCR et ses partenaires.

Des milliers de familles continuent de fuir pour échapper à la mort, risquant leur vie en traversant une mer dangereuse. Beaucoup n'ont d'autre choix que d'embarquer sur des bateaux de fortune, surchargés et en piètre état, afin de donner à leurs enfants une chance de survivre et de vivre en sécurité.

Pour certains, ce voyage désespéré sera le dernier : plus de 3 000 personnes sont mortes noyées ou asphyxiées dans des cales de bateau en essayant de rejoindre l'Europe en 2015.

Votre don aidera le HCR
à sauver des vies et des familles.

BIENVENUE !

Olivier Adam

La cabine sent le tabac froid et j'ai le crâne en bouillie. Je regarde ma montre : j'ai juste le temps de faire un arrêt. Sur le parking immense sont garés des semi-remorques sales, pareils au mien. Des types se hâtent vers la station-service. À l'intérieur, ils se frottent les mains ou soufflent dessus devant les machines à café. Ils feuillettent des revues, achètent un sandwich. Dans les toilettes, on pisse alignés face au mur. On se lave les mains devant le miroir. On a tous des gueules qui manquent de sommeil, qui plissent les yeux dans la nuit pour supporter la lumière des phares d'en face, décrypter le nom des villes sur les panneaux d'indication. À force, ça nous fait des rides en étoile à l'extrémité des paupières.

Je fume une cigarette, debout devant la carte routière encadrée. Mes doigts y tracent des lignes, suivent des itinéraires. À deux heures d'ici, quelques centimètres à peine sur le papier, il y a la maison où nous avons vécu ma sœur et moi. Papa faisait son jardin et on dînait tous les trois dans la petite cuisine. Plus loin en suivant la Seine, Paris et le gymnase aux poutres rouillées où je boxais, le grouillement du quartier chinois sous les tours cernées de lumières et d'enseignes. C'est là que j'ai rencontré Su, un soir il y a cinq ans. Quelques mois plus tard naissait notre fille Lucie. Mes doigts caressent le verre, suivent des fleuves des vallées des montagnes, descendent six cents kilomètres au sud, et pointent le nom d'un village. J'y ai passé mon enfance. Dans le cimetière est enterrée maman. Ma sœur et moi on déposait des figues et des châtaignes sur le marbre. Des pommes de pin, des brins d'herbe et de la menthe. Je remonte vers le nord et trouve la ville où je vis désormais. Je vais bientôt la quitter, laisser la maison vide, son jardin abandonné, sa balançoire qui ne sert plus à personne, ses chambres où je ne peux plus dormir. J'ignore encore où j'irai.

Je prends un jeton à la caisse et me retrouve à poil dans un cube recouvert de carrelage. Les joints sont jaunes. L'eau coule sur ma poitrine et mon ventre. Je ferme les yeux et je passe le jet sur mes yeux, mes joues et mon cou. De l'eau pénètre dans ma bouche, diffuse son goût de chlore et de plomb. Je touche ma peau et mon corps est une plomberie défectueuse, rouillé par l'alcool, pourri par le tabac, ankylosé par trop d'heures passées sur les routes, rongé par le manque du corps de Su, ravagé par l'absence de Lucie.

Je me rhabille et le tissu colle à ma peau humide. Dehors il fait nuit et une fille circule entre les camions, un panneau en carton à la main. Je m'approche et elle va où je vais. Elle a les cheveux courts et rouges, un piercing dans le nez. Elle doit avoir dix-huit ou vingt ans, me demande une cigarette. J'aime bien son regard et sa manière de pencher la tête.

Dans la cabine, on se passe le joint sans rien se dire et c'est mieux comme ça. Avant de la laisser monter, je lui ai dit que je voulais bien l'emmener mais que j'avais besoin de silence, que c'était pas la peine qu'elle me raconte sa vie, j'en avais rien à foutre, j'avais bien assez de la mienne.

– Vous avez de la musique au moins ?

– Non, juste la radio.

– Vous êtes pas drôle. Au fait, je m'appelle Claire.

D'habitude je prends jamais personne. Sauf ce type il y a un mois, il s'appelait Jalal, il était kurde et voulait gagner l'Angleterre. Je l'ai laissé à Lille. C'était la nuit, j'étais à la bourre, j'ai pas dormi, j'ai roulé et lui il me parlait avec son accent, il me parlait il s'arrêtait pas je voulais pas qu'il s'arrête sinon j'allais m'endormir, mes yeux se fermaient, il me parlait de ses cousins à Londres et de son pays qu'il avait dû quitter, il me disait la prison sa famille massacrée, la fuite et tous ces endroits par où il était passé en douce et d'où on le chassait et aussi l'Angleterre que plus personne ne réussissait à atteindre. Je piquais du nez et me réveillais en sursaut le volant entre les mains et le compteur à 120 et il disait ici je suis en cavale, en fuite, je peux plus aller nulle part et je peux pas rester non plus alors qu'est-ce que je peux faire. Je me rappelle cette phrase qu'il m'avait dite cette nuit-là : le monde est un terrain de chasse, mais c'est moi qui fais le lapin. Il avait dit ça et il avait ri d'un beau rire sonore.

En rentrant deux jours plus tard, j'ai regardé une carte et le Kurdistan n'existait pas. Le lendemain, à la radio, ils annonçaient la fermeture de Sangatte. Les réfugiés étaient renvoyés à Paris ou ailleurs, dans des centres. Ils y restaient une nuit et réaffluaient vers Calais. On les voyait à nouveau le long des routes et dans le jardin public, ils dormaient sous la pluie, ils étaient des dizaines comme ça à errer sans toit sans ressources, coincés là au bout du monde sans papiers sans rien.

Sur la carte dépliée, je n'ai pas pu m'en empêcher, j'ai repéré le Vietnam. Ça faisait si longtemps que Su était là-bas avec Lucie. Elle était partie et elle n'était pas revenue. C'était simple en somme. C'est moi qui avais acheté les billets. Des allers-retours. C'était une surprise. Je pouvais pas y aller, moi, pas prendre de vacances, j'avais demandé au patron, même un congé sans solde ça m'allait, je lui avais expliqué que c'était pour emmener ma femme, que je voulais lui offrir ça et le partager avec elle, ça faisait vingt ans qu'elle avait quitté le Vietnam, vingt ans et elle n'en gardait que des sensations floues, et lui il s'en foutait il disait j'en ai rien à battre de tes conneries Antoine moi j'ai besoin de toi dans ton putain de camion si tu veux pas bosser c'est pas un problème y a des tas de types qui demandent que ça. J'avais quand même acheté les billets et la veille du départ avec Su on s'était engueulés je sais même plus pourquoi, j'étais bourré je lui avais foutu une claque elle avait hurlé et le lendemain dans la bagnole elle avait pas décroché un mot elle avait pas voulu m'embrasser avant de disparaître dans l'avion et moi j'avais le ventre tordu de voir ma fille partir si loin pour si longtemps. Trois semaines plus tard, je me suis pointé à l'aéroport. L'avion s'est posé et j'ai attendu. Les gens allaient et venaient sous les panneaux d'affichage et j'ai attendu. Au comptoir, j'ai fait vérifier la liste des passagers et on m'a dit qu'il en manquait deux au décollage. Je suis rentré chez moi et la maison était triste et morte. Ça fait six mois maintenant.

Claire me regarde fixement. Je sens son regard comme une chose physique qui se pose sur moi alors que je conduis.

– Qu'est-ce que tu vas foutre en Angleterre ? je lui demande.

– Je sais pas. J'y vais c'est tout. Je verrai. J'ai des amis qui vivent à Londres. Je vais squatter un peu, essayer de trouver un job et on verra bien.

– T'as pas beaucoup de bagages pour une fille qui déménage.

– J'ai pas eu le temps d'en prendre. Ça devenait vraiment lourd, je suis partie comme ça. Je serais bien allée ailleurs. À Madrid ou Barcelone, mais je parle que l'anglais. C'est quand même con parce que ma mère est espagnole

– Ça arrive. Mon père est italien. Je veux dire, il a passé son enfance en Italie tu vois. Je parle pas un mot. Je suis même jamais allé là-bas.

– Ouais, c'est bizarre.

Je ralentis et les camions en file roulent au pas vers l'embarcadère. On s'approche de la barrière et les gars tendent leurs papiers roses tamponnés à des filles en uniforme bleu marine. Les camions redémarrent et après il y a un genre de parking. Des flics marchent entre les semi-remorques. Ils tiennent en laisse des chiens hargneux qui reniflent partout et grognent et aboient comme des tarés. Ils marchent comme ça tirés par leurs chiens qui pissent sur les roues énormes, promènent leur truffe à l'entrée des cabines et sous les bahuts, ils marchent la mâchoire contractée en caressant la crosse de leur flingue, la douceur de leur matraque, en braquant leur torche sur des visages épuisés par la nuit.

On me fait signe de me garer. Je tends mes papiers. Claire n'a pas les siens. Les flics la regardent pendant quelques secondes, le rond de lumière de leur torche se balade sur son visage, sur ses cuisses et sur ses seins et puis ils disent ok ça ira, vous pouvez ouvrir le monstre. Je descends et le froid me saisit. Une pluie fine et glacée me cingle le visage. Les chiens gueulent pour rien et leurs maîtres leur hurlent dessus. J'ouvre et trois types montent inspecter le chargement. Les chiens reniflent les caisses. Juste à côté, un collègue se fait inspecter lui aussi. Il fume une cigarette en attendant que ça se passe. Il me fait un signe de la main. Je réponds et tout à coup ça se met à gueuler dans tous les sens. Les chiens grognent et jappent et mes trois flics descendent à toute vitesse pour monter dans le camion d'à côté, je les entends gueuler, je comprends pas ce qu'ils disent, je perçois juste des insultes et des cris. Au bout d'un moment ils ressortent avec un mec en tee-shirt. Il est très maigre et une barbe noire lui mange le visage. Ils le plaquent au sol. Je peux voir sa tête riper contre les gravillons et la manière qu'ils ont de tordre ses bras et de lui flanquer des coups de matraque dans les jambes, dans les flancs, sur le dos. Un des flics se dirige vers moi et me dit qu'il faut pas que je stationne là. En remontant je me demande si le chauffeur était au courant, si ce type est monté à son insu. De toute façon ça ne change rien. Le tarif est le même. Les flics feront un rapport et le chauffeur se fera virer.

On entre dans le ventre du bateau. Claire dort. J'attends que tout se referme. Que les moteurs se mettent à gronder. Je touche son épaule et elle sursaute.

– Tu restes là ou tu veux faire un tour là-haut ?

Elle remet son blouson, fouille quelques secondes dans son sac à dos et elle sort. Je fais le tour du camion, je vérifie que tout est bien fermé et on se dirige vers l'ascenseur. Là-haut la moquette est rouge et la lumière très moche diffuse sur les visages, les tables, les chaises, les produits alignés dans les boutiques une tristesse palpable. Dans les bars, les fauteuils les plus proches des vitres sont pris d'assaut, donnent sur un noir indistinct ou presque, profondément lisse pour le ciel, strié de remous épais pour la mer. Claire prend une bière, je descends deux whiskies, elle me sourit et pose sa main sur mon bras. On reste des plombes accrochés à ce comptoir. Elle finit par m'embrasser et je passe mes doigts sur ses joues, sa nuque. Ma sœur aussi s'appelle Claire. Ça fait cinq ans que je ne l'ai pas vue. Et si on me demandait pourquoi et bien vraiment, je saurais pas quoi répondre.

On attend presque une heure avant de pouvoir descendre du bateau. Les flics anglais font ouvrir tous les camions, les fouillent de fond en comble. Je pense au type de l'autre jour, le Kurde, et je me dis que pour lui comme pour tous les autres, c'est vraiment foutu, personne peut passer. Ils me demandent mes papiers. Claire fait mine de dormir, ils la regardent un moment et nous laissent partir.

Je ne prends pas la route prévue, je roule vers le centre-ville et je gare le camion. En face, une enseigne clignote. On prend une chambre et c'est bon de s'allonger un moment. Ça sent l'antimite et la poussière. Claire est nue devant moi. Elle embrasse chaque parcelle de mon corps. Puis tout se met à valser autour de nous. Tout vacille. Après je sombre dans un sommeil de plomb. C'est la sonnerie de mon téléphone qui me réveille. Je regarde l'heure et je ne réponds pas, je sais très bien qui m'appelle : le chargement aurait dû arriver depuis plus de trois heures maintenant. Par la fenêtre, je vois le jour se lever.

D'abord je ne remarque rien. On sort sous l'averse et on court jusqu'au parking. Et là je réalise : le camion n'est plus là. Envolé, disparu, pfuit. Claire passe sa main dans mes cheveux et se met à me sucer le lobe de l'oreille droite. Je me dis que j'ai besoin d'un café pour réfléchir à tout ça et elle m'embrasse à pleine bouche puis me demande si je connais l'Écosse. Je réponds non. Elle non plus mais apparemment ça lui dit bien. Je sais pas pourquoi mais je me suis toujours dit que quelque chose m'attendait en Écosse. C'est comme ça. Y en a c'est Lisbonne ou Ottawa, d'autres l'Afrique ou l'Argentine, moi c'est l'Écosse. Un vieux type passe en promenant son chien sous la flotte. On lui demande où est la gare. En marchant sous la pluie comme ça je me dis que vu comme c'est parti, j'ai intérêt à m'acheter un K-Way ou un truc à capuche. M'acheter un truc imperméable, ça me paraît être un bon premier pas vers ma nouvelle vie.

PÉNÉLOPE BAGIEU

Nicolas Bedos

Embarcation de fortune

nouvelle

Le soir, quand le groupe se sépare – ce qui n'est pas rare – le dernier qui quitte la villa planque les clés sous une pierre grise, sur un muret du patio. Du coup, chacun est libre de sortir à Antibes ou à Cannes ou à Nice jusqu'à l'heure de son choix.

– Jusqu'à l'heure de mon foie ! dit Antoine qui lève le coude dès le matin.

Cette pierre grise n'a pas changé depuis qu'elle a surgi dans mon adolescence. Je ne compte plus le nombre d'étés que j'ai vus défiler dans cette maison toute blanche. Cette villa, dite « La Sourdine », appartenait aux parents d'Antoine, puis les parents d'Antoine sont morts à deux ans d'intervalle. Bien qu'il ne soit plus du tout du genre sentimental, Antoine s'est refusé à changer quoi que ce soit après ce lot de disparitions. Le salon est resté bleu, comme la mer qu'on rejoint par un petit escalier taillé dans la roche que je dévalais en courant et qui, aujourd'hui, à 34 ans, me fait très peur. Lorsque j'étais plus jeune, les gens se plaignant de vertiges me semblaient suspects d'autocomplaisance. De même qu'on se moquait de Marie et Johanna quand on sortait le voilier et qu'elles insistaient pour porter un gilet de sauvetage. Le voilier, un 8 mètres à la coque rouge, s'appelle *L'Agnès-tendre*, du nom de la mère morte d'Antoine. C'est elle qui me consolait quand je venais de passer un hiver douloureux (renvoi d'un lycée, séparation de mes parents, rupture amoureuse, sentiment de vide métaphysique très passager). C'est elle qui tenta de me transmettre la tentation de l'intelligence – j'ai essayé. Elle fumait des cigarettes sans filtre, tard dans la nuit, et on parlait. C'était la mère d'Antoine mais elle pratiquait volontiers l'extension de maternité. Aussi bien avec moi qu'avec Marie, Yvan, Alexandre, Johanna (modérément). Comme nous sommes tous restés amis – en particulier à l'approche de l'été et juste après l'apéritif – nous repensons parfois à elle et à sa générosité, ses colères, sa poche gastrique à la fin, ses sandales, sa naïveté. Elle a tout fait pour nous sensibiliser à des problèmes plus graves que la fermeture, coup sur coup, de nos deux bars préférés (en 1999, le Joe's est devenu une espèce de boutique de tee-shirts moches et l'Atalante une pizzeria). Les cheveux d'Agnès étaient gris, naturellement frisés, elle refusait le maquillage et le rosé et les trucs de femme, sa peau sentait bon la crème hydratante, elle écoutait de la musique classique et, pour plein d'autres raisons, c'était, comme on dit, une personne de gauche. La réussite, tardive, du père d'Antoine l'avait rendue riche sans qu'elle s'y attende et sans qu'elle s'y fasse jamais tout à fait. Il en résultait, chez elle, une étrange timidité du genre « désolée, j'y suis pour rien » et des inquiétudes concernant l'évolution morale et intellectuelle de ses fils, Antoine et Sylvain, mes amis d'enfance puis de vacances. L'été dernier, nous avions retrouvé cette longue lettre par laquelle Agnès, flanquée d'un cancer en phase 3, nous demandait, en gros, de devenir des « gens bien », étant entendu que « les gens bien » selon Agnès sont, en gros, ceux qui ne font pas aux autres ce qu'ils souffriraient de subir. Tout ça nous avait, en gros, foutu un gros cafard.

– J'aime bien tes pompes.

C'est la première phrase que m'avait sortie Antoine dans la cour du lycée Blaise-Pascal. C'est vrai qu'elles étaient épatantes, ces baskets. Mon père, à ma demande, les avait importées de Floride, bien avant l'existence d'Internet. La typo du logo figurant sur le talon de ce modèle vintage n'était pas la même qu'en France, ce que seuls des esprits supérieurs étaient en mesure de noter. Antoine et moi, par conséquent, ne nous sommes plus quittés. Comme lui, j'ai fumé ma première clope à l'âge de 14 ans (des Dunhill), j'ai passé un bac ES, on a essayé la cocaïne dans du tabac et la poudre d'ecstasy dans le nez, nous sommes rentrés dans une école de commerce assez peu réputée, nous avons couché avec Ambre Bergeron et nous l'avons quittée à cause de son manque d'humour et de ses problèmes d'haleine et nous avons bossé, comme stagiaires, dans l'entreprise du père d'Antoine dont il est désormais directeur général (la mort du vieux le sauvant d'un net penchant pour l'herbe, les poitrines opulentes et l'effondrement sous toutes ses formes). Je gagne bien ma vie, moi aussi, moins bien que mes parents mais dans le même secteur (le chauffage et la climatisation d'entreprise) : j'ai de quoi vivre à Bordeaux, manger au restaurant plusieurs soirs par semaine, visiter des pays très chauds ou très froids et me marier, bientôt, dans un château de la région parisienne.

Bref, cet été, tout allait bien, le groupe était en bonne santé, aucun de nous n'avait d'enfant et il nous arrivait de nous faire des compliments sincères et de dire, à voix haute, « Quel bel été ! ». À y regarder de plus près – ce qu'on se gardait bien de faire –, les gamelles professionnelles de Sylvain et la rupture, l'hiver dernier, entre Antoine et Charlotte, tout ça fermenté par nos problèmes de vin blanc, rendaient l'ambiance relativement explosive. Parfois, Marie ou Johanna pleuraient – Marie fait mine d'être lesbienne pour maquiller sa peur des hommes et Johanna prend trop de pilules, trop de temps libre et trop de tout ce qui s'achète. Souvent, Antoine riait à contretemps. Quant à moi, il n'était pas rare que je sois pris d'accès de colère monumentaux, pour un oui ou pour un non et encore plus pour un « peut-être ». Mais bon, il faisait beau et, comme disait Sylvain, nous étions tous blancs de naissance. D'autant que je rodais ma toute première voiture de sport, une Alfa Romeo Brera convertible. Non pas que je roule sur l'or et que la crise mondiale épargne mes affaires (à l'automne 2013, j'ai bien cru que c'était cuit), mais j'ai toujours rêvé de posséder un tel engin, j'en parle depuis vingt ans et le jeu des crédits ainsi qu'un coup de main de mon futur beau-père m'ont permis ce caprice gris métallisé à 35 000 euros. J'ai un peu honte, mais, en fait, non.

Il était 14 heures, on finissait de manger une salade de riz sur la grande table de la terrasse et Johanna venait d'ouvrir une deuxième bouteille de blanc quand l'alerte du site LeParisien.fr nous fit découvrir la photo du petit syrien échoué, mort, sur une plage turque.

– T'as vu ça ?

– Oui, c'est affreux.

– Montre.

– Putain !

– Ouais.
– Faites voir.
– Je vois rien.
– Attends, j'ai perdu la page.
– C'est quoi ?
– Un enfant mort, un migrant.
– Quand ?
– Je sais pas, cette semaine, j'imagine.
– Connecte-toi à la Wifi.
– Attends, c'est bon, je l'ai.
– Agrandis l'image, mes lunettes sont là-haut. Voilà.
– Il est vraiment mort ?
– Ben, on dirait…
– Tiens, Johanna, regarde.
– Ah ouais.
– C'est peut-être un photomontage.
– Je pense pas.
– Terrible.
– Ouais. Mais bon, il y en a plein d'autres, c'est juste que la photo, elle te…
– Oui.
– Je vous avais dit que ça finirait mal.
– Tu nous as dit ça quand ?
– Que faire ?
– Y a rien à faire.
– Marie, regarde.
– Non.
– Pourquoi ?
– Pour quoi faire ?

On a bu, en discutant, la deuxième bouteille de blanc, puis j'ai eu envie d'en ouvrir une troisième. En fait, j'avais envie d'être ému et en colère contre nous tous, mais il me fallait de l'aide. L'autre soir, j'étais parvenu à me fâcher au sujet de notre manque de culture. Cette idée m'avait été soufflée par le fantôme d'Agnès qui, à l'époque où elle était vivante sans l'aide d'une poche gastrique, se plaignait régulièrement de la nullité de nos lectures.

« Vous n'allez jamais au théâtre ?

– Non.

– Vous ne...

– Non.

– Mais, mon Dieu, c'est...

– Oui ! »

Un été, elle était même partie d'un coup de Méhari jusqu'à une librairie de Nice d'où elle était revenue un sac plein de romans contemporains, pas ces chefs-d'œuvre dont les étagères du salon étaient pleines, mais des polars à peu près dignes d'être prescrits à des cons.

« Choisissez chacun deux livres et finissez-les avant la fin de votre séjour. Vous êtes sous mon toit, c'est un ordre, les enfants. »

Mais Agnès était bien trop gentille ou faible ou vieille pour nous tenir rigueur d'avoir rompu nos serments car, cet été-là, il y avait trop de jolies bouches et de gentils corps à aimer et à serrer dans nos bras le long des ruelles de Juan, notamment Chloé, qui m'inspira ma première passion physique et m'éloigna des livres les deux années suivantes. Ensuite, il m'avait fallu ne pas sombrer dans l'oisiveté ou le chômage et relever le défi des diplômes, dégoter un job sérieux dans un domaine assez chiant, puis une situation de Bordelais adulte. Je ne ferai pas de plaidoyer pour ma petite personne mais je vous jure que j'ai eu chaud. J'en ai vu qui, comme moi, partant d'un milieu favorable, ont dégringolé dans l'escalier de la honte, faisant leurs adieux aux habitudes de leur enfance. J'ai trimé, croyez-moi, avec des nœuds dans le ventre, et ceci explique en partie mon incapacité totale à me concentrer sur autre chose que le souvenir des lèvres de mes ex et mes dossiers professionnels. Ceci excuse en partie le fait que je n'ai pas énormément de choses à dire sur la plupart des sujets traités dans la presse pour gens bien.

Sauf que cette troisième bouteille de blanc, le relatif apaisement de mes angoisses financières et la présence, sur le parking, d'une Alfa Romeo Brera convertible m'ont rendu moins insensible à la photo d'un enfant mort, fût-il arabe et musulman. Surtout la troisième bouteille de blanc. Du coup, j'ai attendu que mes amis passent sans scrupule à un autre sujet de discussion pour m'indigner du fait qu'ils puissent passer sans scrupule à un autre sujet de discussion. À un moment, je les ai traités d'enculés et de nazis. J'ai fait semblant de connaître à fond le sujet des migrants syriens et de la Syrie en général, ce qui était à peu près complètement faux, et j'ai même réussi à avoir les larmes aux yeux quand je leur ai dit « Je ne comprends même pas qu'on ne fasse pas l'effort de lire plus d'un ou deux articles sur le sujet. C'est le monde dans lequel nous vivons, ces enfants pourraient être les nôtres ». Sylvain a marmonné un truc du genre « on n'a pas d'enfant, connard » et, comme je me trouvais soudain assez charismatique, j'ai cassé un verre, puis j'ai fait mine d'aller me calmer face à la mer (que la maison surplombe au même titre que l'hôtel Grenada Resort – dont je conseille le brunch).

Johanna est venue me raisonner, avec sa main sur mon épaule et tout. J'étais au centre de l'attention du groupe. Antoine, prostré sur une chaise, pensait sans doute à Charlotte mais je me suis dit qu'il ferait facilement le parallèle entre les griefs de Charlotte et les miens. En fait, nous avions tous quelques raisons d'interroger les origines de notre égoïsme. Surtout Johanna, dont la sœur s'était suicidée en 2009 (Johanna n'avait rien vu venir, ni les marques sur les bras ni la déprime ni les internements, ni les dents jaunes, les scarifications au niveau des genoux, l'anorexie, la bouche grise puis ce cadavre, devant elle, dans un sous-sol de la clinique de la Muette – dont je conseille le service rhumatologie). Du coup, Johanna a fait très long sur l'abstraction des images médiatiques, la « profusion » ou la « confusion » mentale et plein d'autres termes qui disaient tous, en résumé, qu'on ne ressentait plus assez les choses à force d'en voir trop sur des petits écrans tactiles. Marie l'a prise au mot et elle est partie gonfler un bateau pneumatique.

– Quoi ?

– Oui.

– Tu es sérieuse ?

– Très sérieuse.

En fait, on était tous un peu bourrés. Mais, n'ayant rien d'autre de prévu jusqu'à 21 heures (j'avais réservé deux tables au Coco-Beach), on est allés, tous les quatre, à l'arrière de la maison, près de la piscine, pour regarder Marie fixer le gonfleur dans l'embouchure d'un vieux bateau gonflable. C'était le jouet pour enfant avec lequel on avait fait les cons, mille fois, dans la piscine. Il était truffé de rustines, de souvenirs joyeux, de petits neveux qui sautent, rebondissent, s'éraflent la fesse gauche, pleurnichent, éclatent de rire, recommencent. Ce bateau, c'est Agnès qui l'avait acheté pour Antoine bébé. Elle m'avait raconté qu'elle le posait dedans et le baladait le long des plages de Saint-Jean-Cap-Ferrat, ça le calmait, il pouvait y rester des plombes, ne rien réclamer, ne plus chialer, sourire, bref, c'était toutes nos enfances que Marie tentait de regonfler. Le bruit du gonfleur sur lequel Marie pressait son pied ressemblait à celui d'un chien trop vieux pour aboyer ou d'un rapport sexuel peu enthousiaste. Je regardais le pied de Marie – assez gracieux, bronzé – et je me disais, Tiens, on n'aura jamais baisé, elle et moi, c'est pas faute d'y avoir songé, l'un comme l'autre, de s'être avoué de drôles d'idées, dix fois, au gré des cuites et des étés, mais voilà, la vie est passée, vite, globalement décevante, et je vais épouser une femme sans conteste moins belle et moins drôle. Le soleil tapait fort, le vin blanc également. On a vérifié la solidité des rustines, on a rincé le bateau dans la piscine (il était dégueulasse), Sylvain et Johanna sont montés dans leur chambre enfiler un maillot de bain et on a tous descendu l'escalier de la plage.

C'est une plage de sable gris, pas très belle, à vrai dire pas très plage ; elle est étroite (je dirais 15 mètres) et cernée par deux criques, pleine d'oursins et de rochers sournoisement tapis sous la surface de la mer. Si l'on redoute les écorchures et les épines d'oursin, l'antidote idéal reste le port d'un masque de plongée et de sandales très moches. Seul Sylvain connaît par cœur l'emplacement des rochers. De plus, il ouvre les yeux sous l'eau sans avouer le moindre picotement. Sylvain, l'aîné, est de race supérieure à nous tous car c'est également le plus développé au niveau musculaire, le plus diplômé et le plus beau (de l'avis général). C'est pourtant son petit frère, Antoine, qui a pris la tête de l'entreprise familiale et c'est encore Antoine qui plaît aux jolies filles (depuis trois ans, Sylvain vit ouvertement avec Coralie qui, au contraire de Marie et même de Johanna, n'a jamais attiré que des minables). Bref, l'échec intime et professionnel de Sylvain est une sorte de casse-tête sociologique contre lequel nous nous sommes tous cassé quelques neurones. À une époque, je me suis dit que Sylvain était un poète refoulé, qu'il allait reprendre le flambeau artistique (et plus ou moins de gauche) de sa mère et nous surprendre tous en démontrant, par des mots ou des dessins, la drôlerie d'un nuage et la valeur de Coralie. Puis non. Parfois, je regarde Sylvain et je me dis qu'une grande partie de lui est morte avec Agnès. L'an dernier, son échec a culminé quand il a essayé de monter un site de rencontres à la fois totalement obscène sur le plan marketing et complètement foireux sur le plan économique. Dès lors, il s'est mis à accuser l'État, les charges, l'Europe des « lâches et des faibles ». Sylvain trouve désormais que l'ensemble du personnel politique, de gauche comme de droite, est d'« inspiration communiste ». Coralie, sa femme, est d'accord avec lui, ce qui n'est pas bon signe. Il m'arrive de penser que Sylvain, faute d'être devenu, comme prévu, le meilleur d'entre nous, a décidé de devenir le pire d'entre eux.

À l'exception de Sylvain, nous avons tous mis des sandales moches (plusieurs paires sont cachées sous un seau lui-même dissimulé dans un buisson épineux, près de la crique gauche).

14h45

Le ciel s'est couvert, d'un coup. Marie, déterminée, saoule, ne répond même plus aux questions qu'on lui pose. Elle s'accroche à son idée et à la cordelette du bateau. Nous sommes encore sur la plage, debout, la mer à mi-mollets. Sylvain est remonté puis revenu avec deux rames et une demi-bouteille de blanc. Ce sont des petites rames en plastoc. Johanna et Antoine s'emparent d'une rame chacun. La mer est mauvaise, aujourd'hui, ce qui correspond à peu près aux conditions turques. Bien sûr, nous n'avons pas vécu l'attente des réfugiés – qui souvent dure une nuit entière. Nous ne nous sommes pas planqués, à 10, 20, 30, 60, accroupis comme des bestioles derrière des buissons. Personne ne nous surveille car il n'y a, nous concernant, aucune menace humaine. Tant pis : subsistent les dangers fournis par la nature et cette embarcation de fortune. Il est assez rare que les migrants utilisent du matériel pneumatique pour enfant. De ce côté-là, nous aurions le dessus sur le plan des risques encourus. Ceci dit, leurs rafiots, bien que munis d'une coque en bois, ne valent pas forcément mieux.

C'est Marie, évidemment, qui tente de grimper la première. Je la regarde se hisser, comme une folle, échouer, recommencer, parvenir à prendre place. Elle tend la main à Coralie qui me confie la bouteille. Je n'en bois qu'une gorgée et la rends à Johanna. Johanna la termine d'un geste victorieux avant l'heure. J'embarque à mon tour. Le ciel se couvre davantage. Il n'est plus très loin des couleurs affichées sur les images de rivages turcs diffusées au JT (c'est comme ça que j'ai appris – en tant que touriste potentiel – que leur soleil n'était pas si fiable). Je tends une main à Antoine. Il la refuse, se débrouillera tout seul : c'est assez dans son genre des cinq dernières années, « je suis capable, je reviens de loin, j'ai mûri tard, mais vite et bien ». Il a refusé ma main comme il a refusé les pilules de Johanna en dépit du chagrin, des non-nouvelles de Charlotte qui font battre le sang dans ses tempes, du spectre d'un autre homme qu'elle fréquente, dit-on, ici ou là. À part Antoine, tout le monde sait que Charlotte le trompe depuis un an avec ce type, un antiquaire installé à Mougins. Nous savions qu'elle le quitterait, qu'elle avait accumulé trop de rancœur contre lui, son arrogance, sa bite qui traîne, son côté «t'as de la chance que je t'ai choisie, si tu savais le nombre de minettes qui». Au final, il a perdu. L'autre gars est plus doux, plus rond. Plus riche, aussi. Du coup, Antoine se jette sur le boudin du jouet. Il en fait une affaire personnelle, le symbole de ses nouvelles résolutions face à l'avenir et à la mort d'Agnès: froncer les sourcils, en silence, se jeter sur les boudins. Comme il a grossi, le bateau cahote, nous bringuebalant, les filles et moi, comme des canards sur la vague. La notice du bateau-jouet indique «capacité de trois enfants ou un adulte et un enfant». Et nous serons bientôt six adultes à flotter sur ce merdier. Sylvain tente le coup, échoue, retente, échoue, abandonne. Il est vexé, une fois de plus, une fois de trop, rejoint la plage, assume enfin d'être exclu du groupe. Sauf qu'un rocher affleure, s'accroche, nous barre la route.

– Sylvain, pousse!

Il s'obstine à nous tourner le dos.

– Aide-nous en poussant, au moins!

Mais c'est Antoine qui plonge et tente de dégager le rocher pris dans le caoutchouc. Son visage grimace une volonté insoupçonnée. De la plage, son aîné le regarde, dévasté.

Je pense que l'un souhaite consciemment la mort de l'autre. Ce sera pour plus tard: Antoine triomphe.

Johanna nous écarte du rocher en le poussant avec sa rame pendant qu'Antoine remonte.

– Il a crevé ? lui demande-t-on.

– Je ne crois pas.

– T'es sûr ?

Antoine en est sûr, oui : son cerveau de bébé, puis d'enfant, a imprimé – éternellement – les vertus et les failles de ce jouet, il sait, entre autres, le subtil sifflement résultant d'une crevaison. Pas de sifflement. Donc on s'éloigne, fébriles, des pièges tendus par le rivage.

À la même heure, sur les côtes de Turquie, des centaines de réfugiés syriens et irakiens attendent le signal des passeurs pour grimper sur des chaloupes et rejoindre l'Europe (pour eux, le plus souvent, l'Europe commence par une poignée de sable grec, à l'autre bout de la mer Égée). Contrairement à nous, la plupart des passagers ne savent pas nager. Bien qu'ils vivent près de la flotte, l'occasion ne s'est pas présentée. Non, le plaisir est repoussé, rejeté à la mer. Cela dit, j'ai vécu à Paris, et la tour Eiffel me laissait de marbre.

Les réfugiés ont attendu, donc, depuis 3 heures du matin, le signal des passeurs qu'ils ont payés de 1 000 à 2 000 euros, sachant qu'en moyenne un Syrien gagne 2 300 euros par an. De ce fait, inutile de brancher un Syrien sur la crise financière, elle lui ait totalement étrangère.

– Allez-y, vite, vite ! chuchotent les passeurs.

C'est le moment. Ils apparaissent de derrière les fourrés, forment une file disons « indienne ».

« En avançant vers le bateau, dit une mère irakienne, je ne regarde pas la mer, pas le large, pas l'inconnu, c'est trop loin, trop incertain, je regarde mes pieds, juste mes pieds, pour ne pas chuter sur un caillou et prendre le risque de faire tomber mon enfant. »

Cette mère a de la chance car ceux qui portent des bébés ont le droit de passer en premier. Les autres se plient aux ordres, poireautent sur les cailloux, regrettent exceptionnellement de n'avoir pas charge d'âme, regardent les familles pénétrer dans l'eau. Les tout-petits sont hissés à bord, terrorisés, dans leur gilet trop grand. Comme souvent, les bateaux sont bloqués sur le rivage, alors il faut pousser. Mais vu que personne n'ose, deux des passeurs sortent leurs flingues, comme le berger donne du bâton sur le cul des moutons. « Poussez, allez !!! »

Puis les passeurs – qui ne feront pas la traversée – désignent des capitaines parmi de simples passagers. Ils choisissent, un peu au pif, ceux qui leur semblent les plus dégourdis. Les moteurs de ces chaloupes sont bien souvent de la merde et rendent l'âme en pleine mer, à la moitié du trajet. Ce sera le cas, cette nuit : la mère qui regardait ses pieds n'oubliera jamais la déflagration sonore d'un moteur qui lâche au paroxysme de l'inquiétude. Et la nuit qui finit par tomber et, avec elle, les enfants qui chialent plus fort, les pères qui les rassurent avec moins de conviction, puis se mettent à leur tour à chialer dans les cheveux de leurs enfants tandis que les pseudo-capitaines sont gagnés par la panique générale. Ici personne n'est sans savoir que des cadavres, hier, la semaine dernière, paraît-il, des pelletées de morts, à la surface, poissonneuse… Ici, dis-je, personne n'est sans savoir que sur les huit premiers mois de cette année, des experts ont compté environ 4200 morts en Méditerranée pour 85000 personnes arrivées vivantes sur les côtes italiennes, maltaises, grecques et espagnoles.

15 h 10

Je suis juste assez saoul pour me laiss
déplaisir, malgré la jambe gauche d'An
pression sur ma cheville, malgré les expirations inquiètes de Coralie et l'haleine de Johanna. Je regarde cette mer Méditerranée qui me renvoie encore l'écho de mes premiers éclats de rire. Sur elle, en elle, j'ai fait du ski nautique avec une vedette du showbiz, une croisière avec Chloé, des poiriers devant ma mère. La Méditerranée est pourtant, de loin, le passage le plus meurtrier du monde. L'an passé, cette flaque de sel reliant l'Afrique à nos jolis pays d'Europe a concentré plus des trois quarts des disparitions de réfugiés, loin devant la frontière Mexique-États-Unis ou le golfe du Bengale.

« La mer Rouge n'est pas celle qu'on croit ! » a dit un humoriste sur une radio publique, mais souvent drôle.

Pour être exact, les réfugiés ne meurent pas toujours noyés après un naufrage. Parfois, ils choisissent les voies terrestres et meurent asphyxiés dans un camion. Ceux qui survivent visent en majorité l'Allemagne, un pays où j'ai pris du LSD en octobre 2008 et où je me suis fait terriblement chier. J'ai trouvé les Allemands de Berlin snobs, immatures et sales. Ma future femme bâillait dans les allées d'une exposition d'art très contemporain. Une fois dehors, elle m'a décrit ce qu'elle en avait pensé et j'ai bâillé, décidément.

15 h 40

Nous ramons à tour de rôle, la villa n'est plus qu'un petit point blanc derrière une touche de vert foncé. Nous luttons contre le vent. Le postillon des vagues nous refroidit régulièrement, selon un tempo impeccablement pénible. Marie n'a plus besoin de nous répondre, il semble à présent qu'on ait tous compris l'affreuse blague qu'elle nous fait, que l'on se fait. D'ailleurs, depuis le départ personne ne rit, les dialogues se font rares, pragmatiques. Si c'est un jeu, il n'est pas désopilant.

– Pousse ton pied, s'il te plaît, tes ongles me font mal.

– Je peux passer mon tour de rame ? J'ai une crampe, c'est impossible, croyez-moi.

On se concentre sur l'autre rive, quasi transparente, au nord-ouest, là-bas, là-bas. En espérant que ce soit cette rive-ci que Marie a choisie. En nous demandant pourquoi Marie est notre capitaine. J'ai des éléments de réponse : sa proximité avec Agnès à l'époque, le temps qu'elle passe à nous vouloir plutôt du bien, les quelques livres qu'elle a lus, le désespoir qui est le sien, moins narcissique que celui de Sylvain, moins névrotique que celui d'Antoine et Johanna. Marie, se dit-on tous, a des raisons de faire la gueule. Des raisons mystérieuses, donc du lourd, du noble. Marie est belle, vit seule, parle peu, si ce n'est pour être follement comique. Lorsque Marie n'est pas follement comique, elle est follement triste. Hier, on a tous vu qu'elle relisait la lettre d'Agnès que j'avais, l'an dernier, punaisée sur le frigo. Elle l'a lue de manière à ce qu'on la voie, en plein dîner, en bout de table. C'est d'ailleurs pour plaire à Marie que j'ai essayé de me fâcher contre notre inculture. C'est pour plaire à Marie que j'ai traité tout le groupe d'enculés et de nazis ce midi.

16h20

Je la regarde grelotter, à la proue de cette grosse bouée bleu et jaune, et j'aimerais qu'elle me choisisse comme second. Comment dit-on dans la marine ?

Peu importe. Ses cheveux mouillés sont collés sur ses tempes, elle plisse les yeux à cause du vent et des crachats d'eau salée ; elle a vieilli, elle aussi, beaucoup, mais j'aime sa manière de vieillir. Lorsque j'ai bu suffisamment, Marie me semble encore maintenue quelque part dans le domaine du possible, mon possible. Sans doute parce qu'elle est seule, qu'elle ne s'est pas mariée, qu'elle n'a aimé qu'un homme, dit-elle quand on insiste pour le lui faire avouer. Cette récente et si soudaine histoire d'homosexualité me donne, à tort ou à raison, l'impression qu'elle se réserve ou qu'elle s'est condamnée à tort et que quelqu'un de bien va venir la sauver, non pas des femmes, mais de cet ennui mortel qu'elle porte comme des lentilles de couleur sur les yeux.

16h40

Coralie, largement dégrisée, en a marre.

D'ailleurs, elle le dit :

– J'en ai ras le cul.

Puis elle répète :

– Ça suffit, rentrons.

Elle a commencé à gueuler quand nous avons compris que la distance nous séparant de la villa était à présent supérieure à celle de l'autre rive et que, de fait, il nous faudrait encore trois ou quatre heures à ramer jusqu'à la terre. Nous entrons désormais dans une zone temporelle et géographique douteuse, celle où la mer seule est chez elle. Comment font les réfugiés quand leur errance maritime croise un bateau de plaisance ? Quelle tête font-ils face aux croiseurs ? Il y a bien quelques oisifs pour naviguer en mer Égée, sur la Manche, parmi les malheureux ?

Hier, en fin de journée, des pêcheurs grecs ont sauvé la vie à une dizaine de naufragés, mais qu'en est-il du yachtman se retrouvant nez à nez avec une famille de Syriens ? Et nous ? Est-il possible, là, maintenant, tout de suite, que nous croisions une chaloupe de Syriens ? Non, la France, malheureusement, ne reçoit aucune embarcation sur ses côtes, trop lointaines de l'Afrique. Les migrants l'envahissent par ses frontières terrestres (Espagne, Italie, Allemagne, Belgique) : pour beaucoup, notre pays n'est qu'une terre de transit vers le Royaume-Uni, n'en déplaise aux chauvins.

16h55

Je sens que Marie et moi essayons de croiser des Syriens dans nos têtes. Histoire de. Sylvain, qui a pris l'habitude de sortir le voilier chaque matin, estime que les flux migratoires sont le poison de l'économie européenne. L'autre soir, il a dit :

« Leur malheur fait le nôtre. Devrait-on s'unir dans un malheur commun ou bien défendre bec et ongles le peu de confort qu'il nous reste ? »

Il a dit ça et, sur le plan macroéconomique, je ne peux pas rivaliser : je ne possède pas ses arguments techniques.

« Le marché européen n'est pas un gros gâteau, a-t-il ajouté, je suis sûr que vous croyez qu'il s'agit d'avancer son assiette et de donner une petite part de votre gâteau à des enfants affamés ! Non ! Il s'agit plutôt d'un four ! Les immigrés cassent le four et sans four, plus de gâteau, sans gâteau, nous serons bientôt tous de futurs réfugiés ! C'est ça qu'ils veulent ? »

Sylvain est très remonté contre les politiques progressistes de « salons médiatiques », les intellos irresponsables, les « artistes planqués » qui se succèdent à la télé pour tendre leur cachemire à la misère du monde. Du coup, Sylvain dit :

« Faudrait les enfermer ! Puis les foutre sur une barque, et les envoyer là-bas ! Ou, à défaut de les expulser, leur montrer la misère qui sévit ici même, près de chez nous, tous près. »

Sylvain pense que certains salariés français ne sont pas beaucoup mieux lotis que les Arabes qui prennent la mer. Il pense que le Front national est le seul parti à regarder en face la précarité de nos concitoyens et que tendre les bras à ceux qui viennent casser le four, c'est installer Marine Le Pen sur le trône de l'Élysée.

J'ai bien cru que Coralie allait lui ouvrir sa braguette et siroter son sexe à grande lampée d'admiration. Coralie a souffert des hommes, des femmes plus jolies, des parents plus riches que les siens, elle a toujours squatté un milieu qu'elle jalouse donc méprise. La relative déconfiture professionnelle de Sylvain est pour elle une aubaine amoureuse. Ils se sont rejoints, enfin !, à la fois amants et complices de défiance. Sauf qu'à la fin de ce débat entre Sylvain et le monde des « gens bien » – débat posthume avec sa mère, débat généreusement nourri aux shots de vodka Get – la moitié du groupe s'est rangée à son avis. Même Johanna qui n'est pas de la boutique et à qui une rente énorme autorise toutes les fantaisies idéologiques.

Sylvain, rallié par Johanna, a conclu en fanfare :

« Donnons-leur de l'argent, des ONG, des médicaments, des casques bleus, des troupes militaires, des agents secrets antiterroristes, des professeurs, des manifestes démocratiques, des traités économiques, des téléphones portables, des armes pour se défendre, ce que vous voudrez, mais ne leur bradons PAS notre propre peau !!! »

Je ne savais plus quoi penser, je me suis resservi un shot dans lequel la vodka avait un très net avantage sur la liqueur de menthe, puis j'ai regardé ma future femme ; elle repartait le lendemain, en Bretagne, chez son père, et souriait bêtement. Ma future femme n'a pas d'avis, ni sur la radicalisation religieuse des banlieues, ni sur le port du voile, ni sur les options de l'Alfa Romeo. Ma future femme est plus ou moins d'accord avec ceux que la vie l'amène à fréquenter et comme, en l'occurrence, personne ne s'apprête à lui jeter des pierres dans la gueule ou à violer ses futurs enfants ou à la contraindre de se trouver un poste d'agent de surface très loin de chez elle, ma future femme sera toujours disposée à ne pas s'indigner du fait que je préfère me resservir que de devoir me fabriquer un avis tranché sur n'importe quelle question.

17 heures

Il a fallu moins d'un quart d'heure à Coralie pour devenir hystérique. Elle tape contre les boudins du bateau, pleure, nous insulte. Elle VEUT RENTRER ! Marie et Johanna ne lui répondent toujours pas, encaissent ses petits coups de poing dans leur dos. Antoine, seul homme à bord, l'a maîtrisée. Depuis, elle sanglote à peu près en silence, mais la violence gronde dans ses yeux, par son souffle, le long de ses doigts – qui tremblent. On l'emmerde. Quelque chose nous unit, Antoine, Johanna, Marie et moi. En prime d'une amitié adolescente. Je me demande combien d'heures nous avons passé tous les quatre dans la même pièce, la même voiture, la même cuisine, la même cour de lycée, le même hall de gare, la même salle de bains, la même ivresse, le même cimetière, le même rêve.

Récemment, Marie a dit :

« Si un photographe nous avait pris en photo, tous les ans, chaque été, au début des vacances à La Sourdine et qu'il avait soigneusement collé les clichés de nous quatre les uns à côté des autres, quelle histoire nos regards auraient-ils racontée ? »

17 h 45

Je commence à grelotter. C'est Marie qui, la première, a claqué des dents. Ce qu'elle supporte volontiers. Elle est toujours à son poste, à l'avant, regarde droit devant. Parfois elle pose une main sur nos bras, nous encourage dans cette absurde traversée. Il semble que le silence fait, selon elle, partie intégrante du voyage. Bouche cousue, elle nous rappelle le rôle qu'il peut jouer. Nous lui faisons confiance, comme les enfants syriens font confiance à leurs aînés.

Que se disent les enfants en pleine mer ? Ils suivent, regardent l'horizon, interrogent leurs mères. Ils font confiance à ceux qui savent. Qu'ai-je dit à mes parents la première fois qu'ils m'ont accompagné au collège des Peupliers, qu'ils m'ont abandonné dans un cours de sciences naturelles ? Mme Pocral était si laide, si raide, si peu pédagogue. Où tout cela me menait-il ?

Les réfugiés osent le voyage, donc la mort, « car, chez nous, dit la mère irakienne, nous sommes tués par notre gouvernement. On préfère mourir physiquement sur le chemin d'un rêve que de désespérer sur le chemin d'une mort certaine décrétée par des fous et des lâches ».

Elle a dit ça, d'une traite, sans chercher un instant à faire une jolie phrase, au moment même où le bateau n'avançait plus du tout, les passagers étant trop faibles pour ramer, trop terrifiés pour continuer. Les mères syriennes sont encore plus motivées que les mères irakiennes, peut-être du fait que plus de 72 000 civils syriens (dont 12 000 enfants) ont été tués depuis le début de la guerre en Syrie. Si, pour s'amuser, on rapportait ce pourcentage à la population française, ça équivaudrait à la mort de 208 060 Français dont 34 500 enfants (j'ai arrondi le chiffre des enfants morts, prenant le parti d'en sauver 177).

18 heures

Coralie vient de vomir. Je la soupçonne de s'être enfoncé un doigt dans la gorge pour attendrir l'équipage. En ne maîtrisant pas sa rage, en ne formant qu'un avec elle, elle rate quelque chose d'intérieur, ne se pose plus aucune question. Antoine pleure – ce qui n'est pas forcément lié à la traversée : Charlotte n'est plus là. Elle s'est éloignée, elle aussi va devenir transparente, comme le point blanc et la touche de vert. Pour la première fois de sa vie, Antoine fait face à une complète solitude : lorsque Richard, son père, est mort, il y avait Agnès et Charlotte et Sylvain ; lorsque Agnès est morte, il y avait Charlotte et Sylvain ; lorsque Charlotte est partie pour de bon, il ne restait pas grand-chose de Sylvain. Il vient de passer ces cinq derniers mois seul. Comme beaucoup d'hommes infidèles, il a suffi que la femme trompée fiche le camp pour qu'il néglige ses maîtresses occasionnelles, rechigne à fabriquer des sourires dans la nuit. Depuis dix jours que je suis là, Antoine est absent. C'est une silhouette familière dans notre quotidien. Certaines nuits, il ramène des filles qu'il trouve nulles, dont il ne se vante pas et qui elles-mêmes regrettent.

18 h 20

En face, l'horizon se dessine. On vient de croiser plusieurs bateaux de plaisance. À chaque fois, ils s'interrogent, font signe. Dès lors, Antoine serre le bras de Coralie pour la faire taire, il la serre très fort, si fort qu'elle veut crier, mais trop fort pour qu'elle s'y autorise. Pendant ce temps-là, Johanna et Marie sourient aux passagers, se jettent de l'eau, font mine de rire, puis ces voisins de mer s'éloignent, doucement dubitatifs.

18 h 40

Si nous parvenons à destination, personne ne sait ce que nous ferons, en maillot de bain, débiles de froid et de fatigue, sur une plage, dans un port ou une crique inconnue. Nous ne savons même pas si nous accosterons en France, aux alentours de Monaco ou sur les prémices de la côte italienne.

« C'est joli, l'Italie ! » disait mon père, toujours, pour se donner l'air « bon vivant », lui qui a fait vieillir ma mère, puis ma belle-mère, de trente ans en quinze ans.

Et pourtant, je me plais à imaginer qu'une police étrangère nous arrêtera. Que cette histoire, la nôtre, fera quelques lignes dans un journal local, quelque part entre deux gros dossiers concernant les réfugiés, la haine de l'autre, la crise, tout ça. Avec notre photo, petite, mais nous quand même. Cette idée est absurde, malsaine, mais je n'ai pas souvent d'idée.

Les vrais réfugiés, eux, n'arrêtent pas leur parcours sur les rives grecques ou italiennes. Cette traversée n'est que le premier niveau de leur jeu vidéo. Une fois arrivés en Europe, plus de la moitié d'entre eux migrent vers l'Allemagne et la Suède. La France en reçoit très peu. Très très peu. Sylvain avait raison, les Français vont mal – au point de n'être plus enviés par les rescapés de la guerre en Syrie.

19h15

On se rapproche des côtes à petits pas, tout petits. Antoine s'est endormi de larmes, Johanna de médocs et de vin blanc, Coralie de colère. Ils sont tombés d'un coup, de concert, comme si la même balle de fusil leur avait traversé le cerveau. Marie et moi sommes les seuls rescapés du sommeil. J'imagine ma future femme ramassant des galets sur une sinistre plage bretonne, près de leur « maison de maître », non loin de Perros-Guirec. « Depuis que je suis bout de chou, j'adore ramasser des galets », dit-elle avec une voix fausse de petite fille. Je ne l'imagine pas « bout de chou ». Il me semble qu'elle est née trentenaire avec l'air d'être mariée à un type dans mon genre, ce qui n'est pas pour m'exciter.

Elle m'emmerde. Tout m'est égal.

Mes parents sont allés « finir leurs vieux jours » à plusieurs heures de train de Bordeaux. Pour l'une, près d'Agen. En Dordogne, pour l'autre. Je leur en veux beaucoup d'user du terme « nos vieux jours » aussi régulièrement, aussi communément, de s'être ainsi rendus – un sourire triste aux lèvres – à l'accueil de la mort. De toute façon, ma mère semble désincarnée depuis que mon père est passé dessus. Mon père l'était dès ses débuts. C'est mon oncle qui me l'a dit.

« Ton père n'a jamais fait d'histoires. C'est son truc, ça, ne pas faire d'histoires. Du coup, il n'en a pas. »

Même le patron de la boîte dont je suis directeur adjoint ne répond pas à mes textos. Il est en vacances de moi comme je le suis de lui. Nous nous rappelons mutuellement nos pâles destinées.

Tout m'est égal, vraiment. À tel point que Marie et moi pourrions légitimement tout foutre en l'air et s'installer en Italie, si tant est qu'on se dirige vers l'Italie. Je suis sûr que s'il faisait un instant fi de la boîte paternelle, Antoine nous suivrait. Je me demande quel magot il tirerait de la revente de l'affaire. Ce dont je me rappelle, c'est qu'Agnès n'était pas contre. Elle goûtait peu l'esprit « succession d'homme en homme, de paire de couilles en paire de couilles ».

« Vis ta vie, nous disait-elle, le monde est plus vaste et joyeux que vos terrasses d'Antibes. »

Mais comme elle ne disait que des vérités d'ordre très général, on a fini par l'enterrer de son vivant, la vieille. Bizarrement, je ne grelotte plus. L'approche des côtes réchauffe la mer – qui ne cesse de s'éclaircir. Il y a des nuances de couleur dont je ne connais pas le nom. Je ne connais le nom de rien. Faute de lecture, faute de rencontre. Lorsque je visite un pays, je demande au taxi de nous emmener dans « un des meilleurs restaurants » dont j'ai noté le nom sur l'un des meilleurs sites. Tous les meilleurs restaurants du monde se ressemblent. Quand on ne connaît pas leur histoire, ni aucun terme architectural, toutes les plus belles églises se ressemblent également. À ce régime-là (le mien), les ponts se ressemblent, les théâtres se ressemblent, les films se ressemblent, les enfants se ressemblent, les campagnes se ressemblent, les seins des femmes se ressemblent, la mienne ressemble à toutes les femmes de tous mes équivalents dans toutes les boîtes de tous les pays d'Occident. Il n'y a que Marie dont je connaisse les termes. J'ai inventé – je crois – des termes pour définir Marie. Pour la différencier du langage appauvri des autres quand ils décrivent une partie de Marie. Marie « dîne en vedette ». Marie, ce matin, a « le pied mou ». Elle est dans sa phase « tornade », « se coiffe en tata Berthe » (du prénom de sa vraie tante). J'ai inventé ces quelques trucs parce que Marie, je pense, ne ressemble qu'à Marie. La première fois que je l'ai vue, c'était dans une fête déguisée et elle était très maquillée, déjà si drôle que sa repartie m'effrayait. À l'aube, elle m'a aidé à vomir puis m'a obligé à mâcher une « pâte digestive ».

19 h 25

Je viens de me rappeler que la nounou-gouvernante de Marie était d'origine malienne. Pourquoi dis-je « d'origine » alors qu'Onga avait fui le Mali avec sa mère et sa grande sœur ? Onga était malienne. Des pieds jusqu'à la tête. C'était une réfugiée malienne qui avait fini par rêver en français (et même rire en français quand elle se devait de montrer ses belles dents à chaque blague pas drôle de la mère de Marie).

19 h 30

Marie et moi ramons. Lentement. Je ne sais si c'est l'ivresse causée par l'épuisement, mais il me semble à présent que Marie est la seule chose qui me relie à la France. Impression d'autant plus excessive qu'on ne s'appelle quasiment pas de l'année. Les hivers passent, sans un mot, un café. Mais j'ai cette impression, chaude, près du cœur.

Je pense aussi, très sérieusement, que je pourrais jeter le corps de Coralie, de Sylvain et de ma future femme et de toutes les vedettes de la télé et du cinéma et de la politique française par-dessus bord et embarquer Marie, Antoine et Johanna pour une terre inconnue. La France ne m'est plus rien, ne m'a jamais été grand-chose. Pourquoi me battrais-je pour un pays auquel rien ne m'attache, sinon une gouine que j'indiffère? Je la regarde, elle se retourne, me sourit.

J'ai l'impression, tout de suite, d'être capable de tout reconstruire ailleurs, moi aussi. Cela me serait plus facile, à moi, qu'aux réfugiés syriens, kosovars, afghans ou irakiens. Je sais écrire, presque sans faute, l'anglais, l'espagnol et le français. Je sais compter. Mon Alfa Romeo Brera convertible me rapporterait, à l'Argus, autour de 15 000 euros. De quoi bouffer des pâtes dans un deux-pièces-terrasse le temps de me refaire.

Il est peu probable qu'un type dans mon genre, blanc, sapé, chiant, ait la moindre peine à trouver un petit boulot et des petits papiers. Il est plus simple d'acquérir un permis de séjour avec ma gueule qu'avec celle de la mère qui avait peur de faire tomber son gosse et qui est peut-être morte à l'heure qu'il est. Elle est peut-être morte au fond de l'eau que je regarde, que je touche, qui me semble chaude, amicale. C'est la mer de mon enfance.

Je peux voyager partout, moi. Par les airs, par la terre. Je suis libre parce qu'aimable et aimable parce que je ne fuis rien de grave, aucune guerre, aucune menace de mort, aucune misère, aucune épidémie. Je ne fuis que l'ennui.

19h35

Plus je réfléchis, plus j'aimerais que Sylvain soit là pour lui toucher deux ou trois mots au sujet de la France et de la solidarité nationale. Mais il est resté sur la plage, est remonté dans sa maison. Il garde son pays, sa monnaie, sa retraite, ses réductions d'impôts, sa petite vie de merde qui n'appartient qu'à lui. (À sa décharge, je n'ai aucune notion macroéconomique.)

19h40

Marie réveille les autres. On arrive. Plus qu'une centaine de mètres. Coralie et Johanna ont chopé la fièvre. Rien de bien grave mais elles sont vertes et leur front transpire de fines gouttelettes grasses. Antoine a fait un rêve étrange, il est de très mauvaise humeur. Une crampe persistante achève de l'irriter. Finalement, je doute que mon ami serait prêt à tout lâcher. Avec le temps et l'impression de mériter l'argent qu'il gagne, l'orgueil a rétréci son périmètre. Il lui faut épater le voisinage, dépasser le concurrent d'en face. D'autant que le départ de Charlotte lui a fourni un défi minuscule : se construire une vitrine de bonheur dont la réputation remonterait jusqu'à elle et son connard d'antiquaire. (Je suis sûr que c'était ça, son mauvais rêve : l'évidence de l'antiquaire dans la chatte de Charlotte.) Certains destins réclament moins que ça.

20 heures

Nous venons d'accoster. La lumière est sublime.

Point d'Italie, point de cap Corse ! Ce que nous envisagions comme l'autre bout du monde se situait en vérité à moins de 13 kilomètres ! J'entends Agnès nous traiter de « petits bras ». Tout petits bras, oui. L'Italie ? Une nouvelle vie ? Avec Marie ? Il s'agissait plus humblement de ces putains d'îles de Lérins, où nous nous sommes rendus plusieurs fois en voilier, en Zodiac, en navette en mauvaise compagnie… C'est un bout de terre peuplé de touristes russes et allemands. Ces gars-là tentent de rire assez fort pour qu'on les entende depuis Cannes.

Antoine a récupéré son portable dans le petit sac étanche de Coralie. Il a réservé au restaurant l'Escale – situé sur l'île Sainte-Marguerite – dont il connaît le patron. Ce dernier vient nous chercher. Il est ravi de faire crédit à de vieux camarades. Il paraît qu'on a fait maintes et maintes fois la bringue avec lui.

Le monde est si petit, ici.

Je crois me souvenir de lui. Un grand brun, baraqué, roulant en Jeep de militaire customisée. Je vais manger des oursins – qui, paraît-il, y sont fameux toute l'année. Étrange, vu la saison. Mais bon, avec un bon verre de blanc, tout passe.

EUROPE
6 octobre 2015

EDMOND BAUDOIN

TAHAR BEN JELLOUN

«Aidez-nous à retourner chez nous!»

Habib s'était mis à courir, il se retourna une fraction de seconde pour voir si la boule de feu qui venait de détruire sa maison et d'anéantir toute sa famille le poursuivait. Sa cible semblait claire: en finir avec l'avocat qui avait osé s'opposer publiquement à la politique criminelle de Bachar al-Assad et de son clan. Il découvrit que, malgré son âge et son souffle court de fumeur, il filait aussi vite qu'un champion. Rien ne l'arrêtait, rien n'attaquait sa détermination. La mort? Elle n'était plus rien pour lui. Que valait sa vie maintenant que ses proches avaient été exterminés? Que restait-il de lui? À quoi, à qui servirait-il? Il courait dans le noir car il avait fermé les yeux, il traversait sable et poussière car la ville avait été dévastée par la guerre. Il ne cherchait plus à savoir de qui il était la victime. L'armée des Alaouites? celle du mouvement islamiste al-Nosra? ou, pis encore, celle du gang le plus terrifiant de tous, et qui se faisait appeler l'État islamique en Irak et al-Sham? Tout se mélangeait dans sa tête. La mort n'avait plus de couleur, elle frappait souvent au hasard, mais il restait persuadé que celle de ses proches avait un visage: un commandant de malheur avait dû décider, le matin même, tout en dégustant son petit-déjeuner avec ses fidèles, d'éliminer la famille de Habib. L'avocat avait ouvert sa gueule, il avait osé accuser la famille al-Assad d'être responsable du chaos que la Syrie vivait depuis des mois, on le lui faisait payer.

Il ne s'arrêta pas. Il tomba comme une pierre. Sa tête percuta un monticule de gravats puis il s'étala par terre. Il se releva, reprit sa course et s'aperçut que personne ne le suivait. Il reprit alors son souffle. Que faire à présent ? Une vieille femme édentée, tout habillée de noir, lui donna de l'eau. Il s'assit sur un banc de pierre, encore haletant, incapable de prononcer un mot, les yeux posés sur elle. Elle y lut ce qu'il venait de vivre, baissa la tête et l'invita à entrer dans sa petite maison. La première chose qu'il vit fut un christ accroché au mur principal. Il s'agenouilla et pria. Habib était musulman mais cela ne l'empêchait pas de prier Jésus sur la croix. Ses yeux étaient secs. Pas de larmes. Pas de regard. Vides et sans trace de vie. Il s'endormit par terre. La vieille femme le couvrit d'un drap et s'en alla préparer quelque chose à la cuisine.

Au milieu de la nuit, quand il se réveilla en sursaut, il dut se plaquer les mains sur la bouche pour s'empêcher de crier. Le hurlement se transforma bientôt en sanglots, vite étouffés sous le drap pour ne pas réveiller son hôte. Puis il sortit de la maison, s'éloigna à la hâte et s'adossa contre un arbre pour laisser libre cours à ses larmes. Il tendait les bras comme pour étreindre le corps de sa femme ou de ses enfants. Mais ses bras ne rencontraient rien. Ils battaient le vide. Le silence. Une couleur étrange fit son apparition dans un ciel où un petit croissant de lune s'éclipsait lentement. Le lever du soleil l'apaisa. Un peu. Les visages de sa femme et de ses trois enfants ne cessaient de défiler sous ses yeux. Ils allaient et venaient comme dans une danse funèbre. Il se rendit compte qu'il n'avait plus rien. Plus de bras, plus de jambes, plus de foie, plus de cœur, plus de peau. Habib n'était plus qu'une obsession, tout entier englouti dans cette idée qui s'était imposée avec la force d'un oracle : venger sa famille et tout le peuple de Syrie. Sa solitude faisait sa force. Il n'avait plus rien à perdre : la mort avait déjà tout emporté en quelques secondes. Être utile, faire de son deuil son blason, sa cuirasse et son destin, comme les héros des westerns américains.

Le projet se précisait peu à peu ; il remontait la chaîne du malheur qui venait de frapper les siens et qui avait détruit des milliers de familles bien avant la sienne, pour en identifier la source. D'abord, il y avait al-Assad, le clan, la famille, la graine haineuse, la merde, tous les excréments de cette tribu qui a causé tant de malheur autour d'elle. Car derrière Bachar, ce grand chêne creux, derrière ce dadais sans consistance, il y avait l'incarnation du Mal, son criminel de père, Hafez, sur les genoux duquel il avait tout appris, grand stratège pour qui l'assassinat était un sport quasi quotidien.

Pour commencer donc, une idée fixe : juger Bachar. Cette marionnette propre sur elle, avec sa petite moustache qu'il tenait de papa, rasée de près, parfumée d'une de ces fragrances achetées chez Harrods à Londres, ce grand petit mec se fondait parfaitement dans le rôle auquel ses proches l'avaient préparé : éliminer les deux tiers de son peuple. Une vieille conception de la politique que des conseillers étrangers installés à Moscou et à Téhéran avaient remis au goût du jour. Les mauvaises langues laissaient entendre que Bachar n'avait pas besoin d'eux pour massacrer son peuple.

Mais Habib ne s'arrêterait pas là. Il y voyait très clair à présent. Il fallait remonter jusqu'au responsable en chef de ce chaos proche-oriental, celui qui, sans aucune légitimité, sans autorisation des Nations unies, sans preuves, avait décidé d'envahir l'Irak le matin du 20 mars 2003 : George W. Bush. De cette arrivée massive de soldats et mercenaires américains sur le territoire irakien datait le début des catastrophes qui secouaient désormais toute la région. La détermination de Habib avait la force de l'évidence : présenter l'ancien président des États-Unis à un tribunal international pour qu'il réponde de ses actes. Toute sa politique avait reposé sur le mensonge, le racisme et la haine. Il devait reconnaître ses crimes. Habib n'exigeait pas qu'il soit traité avec la même dureté que celle qu'il pratiquait dans son Texas natal, où jamais il n'annula aucune exécution même quand subsistait un doute sur la culpabilité du malheureux condamné. Non, Bush ne serait pas condamné à mort, ni même enfermé à vie dans une prison du genre de Guantanamo. Il devrait simplement reconnaître ses crimes. Président de la nation la plus puissante du monde, il avait couvert son peuple de honte et ne s'était jamais repenti ni excusé. Chef d'État, il avait méprisé la justice et le droit. Avec sa morgue et son arrogance, il avait déclenché au Proche-Orient une escalade incontrôlable de la violence, où la vengeance s'exerçait tous azimuts. Mais les États-Unis d'Amérique ne sont pas du genre à reconnaître leurs erreurs et encore moins leurs crimes. Leur puissance leur accorde tous les pouvoirs, y compris celui de ne jamais répondre du droit et de la justice. L'idée de Habib était un rêve. Un rêve inaccessible. G. W. Bush, aussi bien que Bachar al-Assad, se cachaient, lâches et pitoyables, comme tous les dictateurs qui font couler le sang des innocents. Habib avait beau le savoir, il était incapable de renoncer à ce projet, glissant vers le délire, et il tournait en rond. Au bord de la folie, il avait tout perdu, la raison et sa maison, la vie et l'espoir.

Il se remit à courir, avec la même frénésie, comme si sa vie en dépendait, comme la veille. Il ne savait pas où il allait, désorienté.

Au bout de quelques jours, il se retrouva mêlé à une foule de gens, des Syriens, des Irakiens, des Kurdes, des gens de toutes les religions, massés devant une frontière. La frontière turque. Il le découvrit par hasard. Aucune idée de comment il était arrivé jusque-là. Il était l'un des milliers à se présenter dans l'espoir de trouver refuge quelque part, dans un pays en paix, un pays accueillant. En sécurité. Puis prendre patience. Attendre. Attendre de pouvoir retourner chez lui, à l'emplacement de sa maison, celle qui avait vu naître ses enfants, même si elle ne résonnerait plus jamais de leurs rires. Pour lui c'était incontestable. Pas question de s'installer ailleurs pour toujours. Son pays resterait la Syrie, là où il avait eu sa maison. Rien ne comptait plus pour lui : la reconstruire, pierre à pierre, et y mourir.

Il fit partie de la première vague à traverser la frontière. Autour de lui, on poussait des cris de joie ou de soulagement. Lui ne savait plus très bien ce que ces mots voulaient dire. Il se sentit seul. Est-ce qu'on partageait son rêve ? Celui de ne pas abandonner définitivement sa patrie ? Il aurait voulu le crier haut et fort. Il baissa la tête et se fondit dans la foule. Il n'avait plus rien à craindre de la guerre. Cela le laissait pourtant indifférent. Il était vidé, exsangue, pas de place pour les mots, pour l'espoir, pour des lendemains souriants. Il regarda autour de lui. Des familles entières se réjouissaient d'avoir échappé aux massacres. Des vieillards claudiquaient, une lueur discrète au fond des yeux. Des enfants couraient et jouaient comme si de rien n'était. Des agents de l'administration turque passaient et notaient des renseignements sur les uns et les autres. Habib douta de son nom et de son métier. Il avait oublié sa date de naissance. Il bafouilla, se trompa puis demanda un peu de temps pour rassembler ses souvenirs.

Son obsession ne le quittait pas. Idée fixe. Lancinante. Désigner des coupables. Les assigner en justice. Les noms de Bush et Bachar résonnaient dans son crâne. Puis cela ne lui parut plus suffisant. Il voulait aller plus loin : demander à Barack Obama de rendre son prix Nobel de la paix. Durant ses deux mandats, ce président tant espéré avait déçu tout le monde. Quand Bachar al-Assad avait utilisé les armes chimiques contre son propre peuple, il n'était pas intervenu. Ses menaces restèrent sans suite. Il avait laissé faire. Ne serait-ce que pour cela, il devait rendre cette médaille qu'il n'avait pas honorée. Cette médaille qu'il ne méritait pas.

Habib comprit qu'on le prendrait pour un fou. Il hurlait, seul, face à des gens hébétés : « Nous avons besoin autant de folie que de poésie, besoin de justice et de dignité, besoin de venger les victimes innocentes ! » Certains acquiescèrent, d'autres balbutièrent quelques mots, puis tous lui tournèrent le dos. Plus rien ne s'opposait à sa solitude. Rien. Ni la peur ni la mort.

Habib écrivit sur un carton d'emballage : « Aidez-nous à retourner chez nous ! » Puis sur un autre : « Jugeons Bush et Bachar ! » « Oui ! dit une dame qui se tenait à côté de lui, oui, on peut toujours rêver. »

Pour la première fois depuis son drame, il esquissa un sourire.

Geneviève Brisac

Les hêtres rougissaient, c'était l'été indien.

Sur la terrasse encore ensoleillée, des amoureux s'embrassaient, les merles chantonnaient, et le ginkgo biloba arborait derrière les grilles ses feuilles rondes, jaunes et magiques. On les nomme des « écus d'or ».

Moi j'attendais Aka, mon amie au doux nom de fusil d'assaut et d'oie sauvage.

Aka est toujours en retard.

C'est pour te laisser le temps de penser, dit-elle quand je lui en fais la remarque. Tu penses lentement, je te le rappelle.

Le serveur s'est approché, il m'a dit que j'avais l'air triste.

Vous n'avez pas de souci ? a-t-il demandé.

Vos rides verticales là entre les sourcils, c'est pas bon signe.

Les serveurs de nos jours se prennent pour des soignants. Ou pire : des voyants. Et je déteste ce mot, *souci*.

J'ai voulu lui balancer : *no personal remarks*, comme disait George Orwell, qu'on ne cite pas assez à propos des bonnes manières. Mais j'ai renoncé à discuter.

J'ai dit : Merci, je prendrai un thé fumé.

Mon intonation de grande dame agacée ne lui a fait aucun effet.

Et je ne suis pas triste, ai-je précisé, je réfléchis à l'usage désastreux du mot *migrants*

Il a eu un petit ricanement de mauvais aloi.

J'ai plongé dans mon journal. Les titres me faisaient frissonner. Et les articles encore plus, bien sûr.

Migrants, la politique des barbelés.

Calais, affrontements entre la police et les migrants.

Migrants : L'indifférence et la forteresse.

Le Front national se déchaîne contre les migrants.

Lundi, 1 800 migrants venant des côtes libyennes ont été secourus en mer. 430 000 ont fait le voyage depuis le début de l'année 2015. 2 500 en sont morts.

Une photo de la tombe d'un migrant inconnu prise dans le cimetière de Scicli, près de Raguse, résumait notre honte. Ignoto. Sbarco Donnalucata. 01.05.2001.

Deux mille un.

Migrant. Je pensais à ce mot obsédant, que certains tentent de juguler, tout à fait vainement, en faisant valoir que le mot *réfugié* est porteur de sens et de sentiments forts différents.

Le migrant, c'est l'autre. Les réfugiés, ce sont eux, nous les accueillons. L'exilé, un mot plus juste encore, c'est moi peut-être. L'exil parle de la condition humaine, de la manière la plus profonde.

J'en étais là de mes réflexions lexicales quand Aka est arrivée dans un grand fracas et a commandé d'une voix forte un vin blanc.

J'en ai drôlement besoin, a-t-elle assuré à la cantonade amusée.

Puis elle s'assoit, elle me regarde.

Eh bien, c'est quoi cette petite tête de gerboise? dit-elle, en me frottant les joues.

Je bredouille quelque chose d'inaudible sur le monde qui roule à sa perte.

Je ne te le fais pas dire, dit Aka d'une voix beaucoup trop sonore. Tu ne devineras jamais ce qui m'est arrivé.

Figure-toi que j'arrive de Bourgogne, j'étais dans un village paisible, au milieu des érables et des séquoias, les saules se penchaient sur les eaux du canal. Je me baladais avec des amis, et soudain de leur bouche sont sorties des paroles affreuses.

Comment les journaux ont-ils osé nous imposer cette photo d'Aylan, voilà ce qu'ils disaient, évoquant le petit garçon mort en septembre pour avoir tenté de fuir la Syrie et sa ville de Kobané déchirée par la guerre, pour s'être embarqué sur un bateau de fortune. Parti de la plage de Bodrum à destination de l'île grecque de Kos, il a pris, pour mourir avec sa mère et son frère, l'un des plus courts passages entre la Turquie et l'Europe.

Chaque fois qu'on montre cette photo, ce sont des milliers de voix de plus pour le Front national, disait la voix anciennement amie.

Les gens en ont marre qu'on les culpabilise, disait la voix de cet ami perdu.

Les gens ont assez de soucis, ils pensent qu'on ne s'occupe que des étrangers, des migrants, au lieu de les défendre et de s'occuper d'eux.

On nous donne rien et ils ont tout, voilà ce que l'on dit autour de moi, disait la voix de cet ami d'autrefois et désormais éloigné, oui, étranger, bien plus que quiconque, impossible à entendre, impossible à comprendre.

Mes amis disent qu'ils se sentent agressés, je me demande bien par quoi, hurlait Aka, et je tentais de la faire taire, je tentais de lui faire au moins baisser la voix.

Mes amis perdus, je leur ai demandé pourquoi ils ne repeuplaient pas leur village désertifié en invitant des familles à se reloger dans toutes ces maisons abandonnées.

Ils m'ont regardée comme si j'étais folle, dit Aka, mon amie si forte et si brave, en se tordant les mains.

Je la raisonne, nous réfléchissons ensemble à notre affreuse impuissance, qui n'est peut-être que paresse, qui n'est probablement que manque d'imagination.

Le raz-de-marée des réfugiés politiques, économiques et climatiques ne date pas d'aujourd'hui.

Comme une maladie qui lentement s'infiltre, et à quoi on ne prend pas garde, il s'est installé avec ses morts innombrables, ses noyades, ses camps de la honte, ses murs et ses fils barbelés.

Et nous ne savons quoi faire, sinon respirer jusqu'à en être asphyxiés cet air venu tout droit des années 1930.

Le garçon repasse, il pose le verre de vin blanc. Ne vous en faites pas comme ça mes petites dames, dit-il, débonnaire.

On s'en fait si ça nous chante, mon petit bonhomme, dit Aka, retrouvant son sourire à l'idée de la castagne.

La gerboise en moi se ratatine. Je me raccroche aux branches de ma mémoire. Le garçon hausse les épaules avec mépris.

Des mots de Charlotte Delbo à Louis Jouvet me reviennent en mémoire. C'est en 1945.

Je reviens pour entendre votre voix. J'ai souffert les pires épreuves que le destin et la Gestapo aient pu accumuler sur un pauvre humain moyen et mes chances d'en sortir étaient minces. La raison et le raisonnement, la statistique et l'observation quotidienne, chaque battement de mon cœur – le cœur qui ne bat que parce qu'on lui commande de battre – tout montrait d'évidence que la lutte était vaine. Ma certitude intuitive était fondée sur autre chose. Sur la protection que vous m'apportiez, ma mère et vous, ma mère par la tension de sa volonté et la violence de sa pensée présente à la mienne, et vous, parce que vous me parliez.

Je ne sais pas, dis-je à Aka qui me regarde les yeux ronds tandis que je psalmodie les mots de Charlotte Delbo, je ne sais pas si ça nous aide, de penser à ce genre de personnes, de penser à cette manière de penser, de personne à personne, de pensée à pensée justement. Mais il me semble que si.

Charlotte Delbo a été déportée parce qu'elle a suivi son instinct qui par deux fois au moins lui a dicté que la lutte n'était pas si vaine qu'on le lui faisait valoir. Et elle est revenue et a vécu longtemps pour la même raison. Et elle a écrit des livres inoubliables pour ces raisons encore, que sont le goût du partage, la foi en la solidarité, la conviction que l'émotion humaine s'en va brisant toutes chaînes. L'amour qu'elle portait à Georges Dudach, son mari fusillé à vingt-sept ans.

Elle dénonçait le crime d'indifférence. De ce crime par omission, on ne parle pas assez.

Aka boit son vin blanc, elle picore des olives, elle est là comme un ballon dégonflé, les lèvres pâles et les yeux agrandis.

La nuit est tombée, le jardin est fermé, les arbres frissonnent et les corneilles croassent. L'immobilité gagne les alentours et mon amie se fait pensive.

Elle ouvre son carnet noir et dit : Tu te souviens de ce que disait Anna Akhmatova ?

J'ai passé dix-sept mois à faire la queue devant la prison de Leningrad. Un jour quelqu'un m'a identifiée. Alors la femme aux lèvres bleues qui était derrière moi s'est réveillée de cette torpeur qui nous était propre à toutes et m'a demandé à l'oreille (tout le monde parlait en chuchotant) : Et cela, vous pouvez le décrire ? Et j'ai dit : Je peux. Et quelque chose comme un sourire est passé sur ce qui autrefois avait été son visage.

Il est peut-être arrivé le temps de dire.

Anna Akhmatova est, avec Marina Tsvetaeva et Nadejda Mandelstam, notre guide, notre étoile.

Je murmure à mon tour des paroles magiques.

Nous sommes les innombrables, pieds nus, et sans semelles
Nous pavons de squelettes votre mer pour marcher dessus
Nous apportons Homère et Dante, l'aveugle et le pèlerin
L'odeur que vous avez perdue, l'égalité que vous avez soumise.

Ce n'est pas le poème en entier, car je n'en sais que des bribes.

Des bribes comme des dalles pour traverser l'eau du ruisseau.

Les yeux d'Aka se sont remplis de lumière, car les mots ont fait leur brave travail de mots : faire résonner ensemble la petite voix frêle de l'écrivain et notre désarroi à chacune. À chacun. Une affaire de fréquence.

Je n'avais jamais remarqué que son prénom, Aka, fait écho au nom d'Akhmatova. *Also Known As*...

Elle récite pour moi.

De tout ce que nous avons vécu, le plus fondamental et le plus fort c'est la peur et son dérivé, un abject sentiment de honte et de totale impuissance.

C'est contre cela que nous nous battons, dis-je soudain, gerboise résolue. Et nous repartons bravement sur le boulevard.

CHARLES BERBERIAN

Sorj Chalandon

C'était au siècle dernier. Bien avant que des peuples entiers soient déportés par les guerres. Avant les radeaux de survie, les barges de malheur, les foules cernées par la terreur et les vagues de nuit. C'était avant les familles harassées, échouées sur les rochers glacés d'Occident.

Nous étions gare de Lyon, à Paris, l'hiver 1971. Un train était à quai, tout juste arrivé de Marseille. J'ai vu l'homme, puis je l'ai observé, je ne sais pourquoi. Un vieil Arabe, perdu dans la foule qui remontait le quai. Il tenait contre lui une petite valise de rien, faux cuir lacéré entouré d'une corde. Il aurait dû la porter à bout de bras, comme les femmes et les hommes qui sortaient du train, mais il la tenait serrée contre sa poitrine, à deux mains.

L'homme était inquiet. Il marchait plus lentement que les autres, se laissant doubler par les voyageurs pressés. C'est comme s'il redoutait la gare, la sortie, la rue. Il regardait à droite, à gauche, derrière lui. La marée humaine l'entraînait vers le hall. Et lui résistait au courant.

Arrivé presque en bout de quai, le vieil homme s'est figé. Quelques minutes avant l'arrivée du train, des militants distribuaient des tracts en bord de voies. Un appel à soutenir « les travailleurs immigrés », comme on disait alors. Et une réponse au mouvement « Ordre nouveau », qui luttait contre « l'immigration sauvage », comme ils disaient aussi. La police était intervenue, brutale et sans quartier. Les jeunes s'étaient dispersés, dissimulés dans la cohue, leurs tracts cachés sous les blousons. Mais les policiers gardaient les issues, faisaient lever les bras, déployés trois par trois, leur matraque à la main.

Le vieil Arabe s'est arrêté. Une muraille bleu France cernait le grand hall. Il s'est retourné. Il a voulu remonter le cours des gens. Mais très vite, la marée humaine l'a remis en marche. Alors il s'est déporté au plus près des rails, en équilibre au bord du quai. Devant lui, il y avait un poteau, une cache. Il s'y est abrité. Accroupi sur le sol, tournant le dos à l'agitation, il a défait la corde et ouvert sa valise. De son linge, il a sorti un chapeau de feutre cabossé. Il l'a mis sur la tête, relevé le col de son polo puis fouillé sa poche de manteau.

Une cravate. Elle était claire, à carreaux, fatiguée, chiffonnée par des plis du temps. Tassé sur les talons, il a passé la bande d'étoffe autour de son cou, se reprenant à deux fois pour la nouer.

Et puis il s'est relevé. Il s'est remis en marche. Son petit chapeau, son manteau fatigué, sa cravate trop large, sa valise d'exilé frappant sa jambe raide. Il s'est dirigé vers le cordon de police, comme un homme qui n'a rien à cacher, rien à craindre ni à perdre. Il était digne et beau. Il était chez lui. Chez nous. Il s'espérait semblable aux passants sans peur qui rejoignaient la ville.

J'étais à quelques mètres, caché derrière un poteau identique, des tracts sous mon blouson. Et j'ai su que cette image fiévreuse ne me quitterait jamais.

C'était au siècle dernier. La peur d'un réfugié, déjà, bien avant les multitudes épouvantées.

Avant la plage et l'enfant.

PHILIPPE CLAUDEL

Baignade interdite

On peut s'asseoir à côté de vous ? Je vous en prie. Qu'est-ce que vous faites ? On attend. Vous attendez quoi ? Les migrants. Les migrants ? Oui. Des oiseaux ? Non. Des femmes. Des hommes. Des enfants. Ah ? Et ils viennent d'où ? De là-bas. On ne voit rien. Là-bas. En face. Loin. Vraiment loin ? Aucune idée. De l'autre côté en tout cas. Ils arrivent quand ? Ils n'ont pas d'horaires. C'est embêtant. Assez. Vous restez là des heures ? Des heures. Sans savoir ? Sans savoir. Quelquefois on perd notre temps. Aucun n'apparaît. Dommage. Mais c'est rare. Curieux ce manque d'organisation de nos jours. Oui. Et ils viennent faire quoi ? Ils fuient. Ils fuient quoi ? La guerre. La faim. La misère. Des choses comme ça. Classique. Oui. Classique. Pourquoi venir ici ? Je veux dire spécialement ici ? Sans doute pensent-ils que c'est mieux que là-bas. Les pauvres. Comme vous dites. Et quand vous en apercevez, qu'est-ce que vous faites ? Rien. Rien ? Qu'est-ce que vous voulez qu'on fasse ? Il y en a tellement. On ne peut pas les aider tous. Alors pourquoi aider les uns et pas les autres ? Ce ne serait pas juste. Autant n'aider personne. Par souci d'équité. Et puis ma femme ne sait pas nager. Et moi je ne suis pas un as non plus. Et eux ils savent ? Qui ? Les migrants. Savent quoi ? Nager ? Pas vraiment. Ils flottent plus qu'ils ne nagent. Et quand ils flottent, ils sont souvent bleus et raides. Assez morts en somme ? Bien morts même. Pas très ragoûtant quand on pense que c'est une plage. Oui. Où des gens se baignent l'été. Pas ici. Pourquoi ? Vous n'avez pas vu le panneau : *Baignade interdite*. C'est très dangereux. Il y a des courants. Ils ne le savent pas ? Comment voulez-vous qu'ils le sachent ? Il y a le panneau. On ne peut le voir que de la plage. En effet. Et si on le tournait vers eux ? C'est-à-dire ? Vers le large. Vous pouvez toujours essayer. Vous n'avez pas l'air convaincu ? Il faudrait déjà qu'ils sachent lire. Ils ne savent pas ? Aucune idée. Ils nous ressemblent ? Pas tout à fait. Comment ça pas tout à fait ? Ils sont plus maigres. Et puis ils ont des yeux. Des yeux ? Des yeux différents. Intenses. Fiévreux. Tourmentés. Un peu fous. Ils sont fous ? Non. Enfin si. Pour entreprendre une pareille traversée. Tout de même. Oui. Ce qui est beau c'est de les voir apparaître à l'horizon. Debout. Tous. Sur de maigres embarcations. Serrés les uns contre les autres. On dirait qu'ils marchent sur l'eau. Comme le Christ. Le bateau disparaît sous leur poids. Il est toujours à deux doigts de couler. Et il coule ? Parfois oui. Parfois non. Pas toujours. Quand ça coule, ça coule vite. La mer les avale comme une grande bouche. Et puis plus rien. Ne restent plus que les vagues. Un peu frustrant ? Je ne dirais pas cela. C'est un autre spectacle. Certains abordent ? Certains. Vous leur parlez ? Non. Pourquoi ? Pour quoi on leur parlerait ? On n'en connaît aucun. Et puis il y a la barrière de la langue. On ne parle pas leur langue et eux ne parlent pas la nôtre. Vous leur avez demandé ? Non, mais ça se voit. De toute façon ils claquent tellement des dents qu'ils seraient incapables d'articuler un seul mot. Et ce qu'ils veulent, c'est manger, boire, dormir sous un toit, pas commencer une conversation. Vous leur donnez cela ? Non. C'est petit chez nous. On ne roule pas sur l'or. La vie est chère, vous le savez bien. D'ailleurs s'ils avaient une idée du coût de la vie ici, ils ne viendraient jamais. Mais une fois qu'ils sont là, ils y restent. Ils ne partent plus. Ils le voudraient ? On ne sait pas. Et qu'est-ce que vous faites alors après ? Après quoi ? Après les avoir vus. On rentre. Vous rentrez, comme ça ? Oui, on rentre. C'est tout ? C'est tout. Mais pourquoi vous venez ici alors ? Pour passer le temps. Pour les voir en vrai. À la télévision c'est différent. Ils paraissent plus grands. Alors qu'en vérité ils sont tout petits. Et puis ils font moins peur en vrai. On repart rassurés. Quand on ne sait pas, on se fait des idées. En les voyant on constate qu'ils sont totalement inoffensifs. Tenez. En parlant du loup. Vous voyez là-bas ? Où ? Là-bas, au bout de mon doigt. Non, je ne vois rien. Mais si, là-bas, suivez mon doigt, tout au bout de mon doigt, vers l'ongle, en haut de la grande vague. Les débris de bois ? Ce ne sont pas des débris. Vous en êtes sûr ? Certain. Faites-moi confiance. Je commence à avoir l'habitude. Ce sont des migrants. Ça, des migrants ? Des migrants. Je les aurais crus plus grands. Qu'est-ce que je vous avais dit ? Et ils vont accoster ? S'ils ne coulent pas, oui. Vous pensez qu'ils peuvent couler ? Il y a des chances. Vous avez vu la mer ? Non. Elle se forme. Se forme ? Elle grossit. Les vagues. Elles se creusent. Pas bon. Pas bon du tout. On va peut-être rentrer d'ailleurs. Regardez le ciel. Tous ces nuages. Pas envie de nous faire tremper. Vous n'attendez pas de savoir s'ils vont couler ou atteindre le rivage ? Non. Le suspense n'est pas de taille. Et on en a assez vu pour aujourd'hui. On reviendra demain. Demain ? Il y en aura d'autres. Ne vous tracassez pas. Vous croyez ? Garanti. Alors bonne soirée. Bonne soirée. À demain, si vous permettez ? Vous êtes le bienvenu : la plage est à tout le monde.

10 octobre 2015

Marie Darrieussecq

Veille citoyenne

Elles sont venues me raconter : une douzaine de femmes, qui ont réussi à trouver un toit à une quarantaine de réfugiés, et à faire bouger les pouvoirs publics. Des citoyennes, se définissant comme telles. Le théâtre et le féminisme les relient ; elles sont toutes autrices (elles tiennent au féminin), metteuses en scène, comédiennes ou administratrices de théâtre ; et utilisatrices de Facebook. Le 15 septembre dernier, Carole Thibaut y poste un long témoignage : ce qui se passe sous ses fenêtres Porte de Saint-Ouen, un campement, des enfants dans la boue. Pauline Peyrade décide d'y aller. Et puis Carine Lacroix, et Alexandra Badea, et Julie Ménard, et Lison Pennec, et Soraya, et Marie Payen, et d'autres, Alexandra Lazarescou, Marie-Laure Malric, Agnès Princet, Malika-Pascale Ouadah. Elles ne sont ni une association ni un collectif, plutôt un groupement spontané, mues par un besoin d'agir, de sortir du « sentiment d'impuissance ». Elles ne se connaissaient pas, ou de nom par leur milieu professionnel, elles ont entre 30 et 50 ans.

Ça commence en ligne par les besoins à coordonner, d'abord des « tentes, couvertures, couches, serviettes hygiéniques, shampooing». Et une petite cagnotte récoltée entre elles, auprès de leurs proches et sur Internet. Ce qui les choque le plus sur le campement, ce sont les enfants, une trentaine, bébés, ou petits, jusque vers 11 ans. Les vêtements, très vite, débordent de partout. La gale se répand. Quelques hommes, démunis mais plus forts, font du trafic : un euro le vêtement propre. Au passage elles se font traiter de naïves, ou de « bourgeoises blanches ». Moi je vois des « filles » (comme elles se nomment aussi elles-mêmes), peu argentées, vivant dans les quartiers de Paris où il est possible de se loger avec ce que rapporte une carrière au théâtre quand on n'est pas une star.

Des riverains et beaucoup d'associations de toutes cultures sont déjà sur le campement. Certaines associations, qui travaillent avec des méthodes plus rodées et ont parfois d'autres idéaux, regardent ces « filles » avec condescendance. Mais elles n'attendent pas le Grand Soir (« ça, c'est la révolution de papa », dit Marie) : leur but à elles, c'est de remuer les pouvoirs publics. Elles ont compris qu'il n'est pas suffisant d'apporter les vêtements du petit dernier et des thermos de café, même si ce luxe élémentaire (avec du sucre en morceaux) est très apprécié sur le campement, et que l'urgence est partout : emmener une femme malade à l'hôpital, aller chercher des médicaments pour un homme au pied cassé, seul sous une tente avec une ordonnance en français qu'il ne peut pas lire. Elles croisent, quatre jours de suite, un pédiatre qui vient avec son propre matériel s'occuper d'abord des gamins, et puis de tout le monde. Surtout, elles parviennent, en mobilisant et en manifestant, à convaincre la mairie de Paris que ne rien faire n'est plus possible. « J'ai réparé ma citoyenneté, dit Marie. Lutter me rendait heureuse. »

Le cas d'une petite Sonia les inquiète, 11 ans, elle mendie sur le campement. La fillette est là depuis au moins un an puisqu'elle était scolarisée l'an passé, mais elle a dû quitter l'école pour « travailler ». Le campement de la Porte de Saint-Ouen existe depuis longtemps, c'est un point de ralliement et de transit sur les réseaux sociaux syriens, et aussi de trafic et de mendicité. Il n'y a pas de prostitution mais ça se passe ailleurs. (Il n'y a aucune adolescente sur le campement : soit des fillettes, soit des mères de famille.) Les cent cinquante nouveaux arrivants parlent arabe, aucun ne parle français. Ils se disent syriens, certains racontent être arrivés par Melilla, enclave espagnole au Maroc. « On a fait le choix d'une certaine candeur, dit Pauline, et de ne pas trier entre les réfugié-e-s et les autres. » Sur le campement, il y a aussi des Doms, les Roms du Proche-Orient. Peut-être que Sonia est dom. On débarque là comme Fabrice à Waterloo, sans rien comprendre : « La fumée empêchait de rien distinguer du côté vers lequel on s'avançait, l'on voyait quelquefois des hommes au galop se détacher sur cette fumée blanche[1]. » C'est aussi l'impression que me donne, depuis le début (depuis quand ?) ce grand événement auquel nous assistons sans parvenir à le nommer : migrants, réfugiés, exilés, Aylan, Lampedusa, îles grecques, jungle calaisienne…

1. Stendhal, *La Chartreuse de Parme.*

Voilà donc douze citoyennes de bonne volonté, avec sur elles, planqué dans leurs vêtements, l'argent de quelques nuits d'hôtel (il n'y a ni point d'eau ni toilettes sur le campement). Il est onze heures du soir, il pleut, il faut éviter les chefs qui sauraient très bien revendre les chambres, il faut repérer les plus fragiles, enfants, malades, femmes enceintes, les atteindre, trouver des interprètes. Carine me raconte un groupe d'enfants, quatre ou cinq ans, qui jouent : « Un plus grand de 8 ans leur crie dessus en tapant par terre avec un bâton, les petits s'alignent au mur mains sur la tête, une fille aux ordres du plus grand les fouille de la tête aux pieds, le grand continue de crier et de taper… et puis ils s'éparpillent en riant, en shootant dans une canette, en sautillant… c'était glaçant. »

Pauline : « On ne pouvait pas tenir plus. Cela faisait trois semaines que nous étions sur le terrain : l'insomnie, la fatigue, décrocher de nos boulots, ne plus voir nos proches, ne plus parvenir à se concentrer… On ne sait pas gérer ça, garder la distance, l'émotion… C'est un vrai travail, et une responsabilité de pouvoirs publics. » Deux jours après leur rendez-vous avec Dominique Versini (l'adjointe au maire de Paris en charge de la solidarité, de la famille et de la lutte contre l'exclusion), toutes les familles avec enfants étaient logées au Formule 1 de Montreuil. Et pour les autres, des hébergements ont été trouvés dans le 77 et le 93. « Le soir, quand on a vu qu'il n'y avait plus du tout de tentes, que tout le campement était parti, on a ressenti ça comme une grande victoire. Mais toute provisoire. Il faut éviter de nouveaux Saint-Ouen. » Pour poursuivre la mobilisation après le démantèlement, les « filles » ont instauré une veille citoyenne relayée par un journal de bord : La Veilleuse[1].

1. www.facebook.com/veilleusecitoyenne

PHILIPPE DELERM

Subir, recevoir, donner

Il a subi. Tellement subi. La faim, la soif, et l'ombre du danger surtout. L'idée d'une menace, une rumeur d'abord, une angoisse sourde, des mots murmurés autour de lui. Et puis des coups de feu, des morts, des gens que l'on connaît et des proches. Partir était la seule solution. Une évidence.

Mais est-ce une évidence de quitter la terre de son enfance, de son adolescence ? Il a presque vingt ans. Il a connu ici des jeux et des amis, et ses premiers rêves d'amour, et son premier chagrin d'amour. Mais partir, oui. Ensemble. Avec tous ceux qui lui restaient. Entravé par ces ballots, ces paquets noués à la hâte. Un essentiel si dérisoire. Subir les pierres des chemins, les vociférations indécentes du passeur, la longue attente sur la grève. Et ce bateau enfin où il s'entasse avec les siens. Subir, oui. Ce n'est pas un voyage d'espoir mais de désespoir. Comment pourraient-ils arriver quelque part, tous ces corps compressés, humiliés dans la nuit noire, avec le fracas des vagues ? Son père n'y survivra pas.

Mais il y aura quand même une aube, une autre grève, beaucoup de cris encore et beaucoup de silence. D'autres routes, une gare, un train où l'on vous enfourne comme du bétail. Au bout de tout cela, sauvé ?

Sauvé peut-être. Vivant, curieusement vivant, comme hébété. Il continue de tout subir, mais il écarquille les yeux, car il commence à recevoir. C'est très étrange, recevoir. D'abord on se demande pourquoi, et puis si c'est bien sûr. Il y a des espaces incertains, où l'on peut bivouaquer avec ceux qui vous restent. On vous sert une soupe chaude. On vous tape sur l'épaule, on vous sourit. On vous parle. Quelques mots en commun, des gestes rassurants. D'autres routes, et la fatigue infinie monte, puis des endroits toujours très anonymes, une cour de lycée, un dortoir, mais quand on vient d'où il vient, c'est presque une maison. L'inquiétude persiste. On se rassure en parlant avec les siens. On dit merci, heureux d'abord d'avoir à le dire, et puis très vite il y a beaucoup trop de mercis, seulement des mercis. Et les mois vont passer.

Il a vingt ans, il sent au fond de lui les forces vives qui reviennent. Il a tellement subi, tellement reçu. Il le sent maintenant, subir et recevoir ce n'est pas vivre. Il voudrait enfin pouvoir donner. Il ne sait pas encore quoi, il ne sait pas encore comment. Il sera médecin peut-être, ou infirmier, ingénieur, écrivain. Il construira des ponts ou des romans. Il sera libre. Il est libre déjà : il rêve de donner.

STEPHANIE BLAKE

Mathias Enard

« J'étais étranger, vous ne m'avez pas accueilli »

Nous savions tous que le régime du Baas syrien était un régime toxique, d'assassins et de tortionnaires : nous l'avons toléré.

Nous avons fait plus encore : nous l'avons renforcé. Bachar al-Assad était invité à la tribune présidentielle du défilé du 14 Juillet, à Paris, à quelques mètres de Nicolas Sarkozy, qui lui a chaleureusement serré la main, deux ans avant le début des manifestations à Deraa.

Nous savions tous que le régime Assad était prêt à massacrer sans hésitation sa population civile et celle de ses voisins : les événements connus sous le nom de « massacres de Hama », en 1982 (mais qui, en fait, s'étendirent aussi à de nombreuses villes syriennes), ou les exactions syriennes au Liban l'ont suffisamment montré. Nous l'avons toléré.

Nous savions que l'armée syrienne et ses nervis, qui ont organisé la répression pendant des décennies, n'hésiteraient pas une seconde à tirer sur la foule, à torturer des opposants, à bombarder villes et villages : nous les avons laissés faire.

Nous savions que le régime syrien était passé maître dans l'art de la manipulation diplomatique régionale, sachant renforcer temporairement ses ennemis, les infiltrer, jouant un terrifiant double jeu mortel : l'histoire des relations de la Syrie avec les différents groupes palestiniens, par exemple, l'a montré. Ce n'est qu'un exemple parmi d'autres. Nous les avons tous oubliés, ces exemples, ou avons fait semblant de les oublier.

Nous savions tous que le personnel politique syrien n'est qu'une clientèle de nantis qui ne survit que grâce au fonctionnement clanique, aux largesses de la caste Assad. Nous avons pourtant espéré le changement. Nous avons tous appris que lors du si bref Printemps de Damas, en 2000, les clubs de la démocratie avaient été réprimés, que de nombreux leaders s'étaient soudainement retrouvés en prison ou avaient été contraints à quitter le pays. Nous nous sommes résignés.

Nous avons imaginé que l'ouverture économique déboucherait sur une ouverture démocratique. Nous avons clairement vu comment cette ouverture ne servait qu'à distribuer de nouvelles prébendes pour intéresser de nouveaux clients et renforcer le clan au pouvoir. Nous avons vendu des voitures, de la technologie et des usines clés en main sans nous en émouvoir.

Nous connaissions tous les lignes de faille qui traversent le territoire syrien ; nous n'ignorions pas que le régime Assad s'appuie essentiellement sur la minorité alaouite, surtout pour son appareil militaire et répressif ; nous avions connaissance de son alliance stratégique avec l'Iran, qui remonte à la guerre Iran-Irak et à la guerre du Liban, dans les années 1980 ;

nous étions témoins de la puissance militaire et politique du Hezbollah libanais ; nous avons assisté à l'instrumentalisation des Kurdes dans les relations entre la Syrie et la Turquie au cours des trente dernières années ; nous savions tout du ressentiment des sunnites syriens pauvres, exclus du clientélisme et méprisés par leurs propres élites ; nous avions bien conscience du poids de l'Arabie saoudite et du Qatar dans l'économie européenne et de la « guerre froide » que ces deux puissances livrent depuis des années à l'Iran.

Nous nous souvenons (ou devrions nous souvenir) que la carte du Moyen-Orient au XXe siècle est issue des accords secrets signés entre Mark Sykes et François Georges-Picot en 1916, ou plutôt des conséquences de ces accords et de leur mise en place entre 1918 et 1925. Le Liban, la Syrie, l'Irak, la (Trans)Jordanie et la Palestine sont issus de ces frontières, il y a presque cent ans, et celles-ci n'ont été remises en question qu'une fois directement, lorsque Daech a rassemblé l'été dernier les provinces de l'ouest de l'Irak et celles du nord et de l'est de la Syrie, faisant trembler d'un coup toutes les autres frontières, notamment celles de la Jordanie et de l'Arabie saoudite.

Nous savions que le Liban était un pays fragile, dont certaines composantes souhaitaient la redéfinition (ou l'implosion) géographique, la transformation du territoire en une confédération, pour « protéger les minorités ». Les Balkans nous ont appris que personne ne souhaite être une minorité sur le territoire de l'autre quand l'empire s'effondre. Nous savons par ailleurs que l'invasion – la destruction totale – de l'État irakien a débouché sur l'injustice, la corruption, l'insécurité, la famine et la faillite des services publics.

De tout cela, nous n'avons tiré aucune conclusion.

Quand les manifestations se sont transformées en révolte, quand la révolte est devenue révolution, quand les premiers obus sont tombés sur des civils, quand la révolution s'est transformée en Armée libre, nous n'avons rien fait.

Nous savions pertinemment que la solution au « problème syrien », la réponse à la « question syrienne » passait par Moscou et Téhéran, et nous n'avons pas souhaité aller à Moscou et à Téhéran.

Nous avons assuré soutenir les démocrates.

Nous avons menti.

Nous avons laissé mourir l'Armée libre et toutes les forces de la liberté.

Nous avons débattu du nombre de morts.

Nous avons débattu de lignes rouges, que nous avons placées, puis déplacées car nous n'étions pas sûrs qu'elles aient été réellement franchies.

Nous avons débattu de la couleur de la bave dans la bouche des cadavres.

Nous avons assuré soutenir les forces démocratiques.

Nous avons menti.

Nous avons convoqué des conférences dans des palais européens.

Où nous avons vu les cartes dans la main de l'Arabie saoudite, du Qatar et de la Turquie.

Nous avons continué à mentir.

Chaque jour nous débattions du nombre de morts.

Nous avons regardé les tentes fleurir en Turquie, en Jordanie, au Liban.

Chaque jour nous comptions les tentes.

Lassés de compter les corps mutilés nous nous sommes félicités de l'amélioration des conditions de vie des réfugiés.

Nous avons vu des hommes égorgés dans le désert sur lesquels nous n'avions pas compté.

Nous nous sommes indignés et notre indignation s'est transformée en bombes et en attaques aériennes.

Chaque jour nous débattons de l'efficacité de nos bombes.

Nous comptons les morts et les tentes.

Nous vendons des avions.

Nous apprenons des noms de villes, nous apprenons des noms de villes détruites aussitôt que nous les avons appris.

Nous mentons.

Nous sommes les géographes de la mort.

Les explorateurs de la destruction.

Nous sommes des concierges.

Des concierges à la porte de la tristesse.

Chaque jour on frappe à nos portes.

Nous comptons les coups contre nos portes.

L'un dit « cent mille personnes frappent à nos portes ».

L'autre dit « ils sont des millions, ils poussent ».

Ils poussent pour chier devant nos portes closes.

Nous sommes les concierges de la lâcheté.

Nous n'accueillons personne.

Nous ne plions devant personne.

Nous sommes fiers de n'être personne.

Laurent Gaudé

Regardez-les

Regardez-les, ces hommes et ces femmes qui marchent dans la nuit.
Ils avancent en colonne, sur une route qui leur esquinte la vie.
Ils ont le dos voûté par la peur d'être pris
Et dans leur tête,
Toujours,
Le brouhaha des pays incendiés.
Ils n'ont pas mis encore assez de distance entre eux et la terreur.
Ils entendent encore les coups frappés à leur porte
Se souviennent des sursauts dans la nuit.
Regardez-les.
Colonne fragile d'hommes et de femmes.
Qui avance aux aguets,
Ils savent que tout est danger.
Les minutes passent mais les routes sont longues.
Les heures sont des jours et les jours des semaines.
Les rapaces les épient, nombreux.
Et leur tombent dessus,
Aux carrefours.
Ils les dépouillent de leurs nippes,
Leur soutirent leurs derniers billets.

Ils leur disent: « Encore »,
Et ils donnent encore.
Ils leur disent: « Plus ! »
Et ils lèvent les yeux ne sachant plus que donner.
Misère et guenilles,
Enfants accrochés au bras qui refusent de parler,
Vieux parents ralentissant l'allure,
Qui laissent traîner derrière eux les mots d'une langue qu'ils seront contraints d'oublier.
Ils avancent,
Malgré tout,
Persévèrent
Parce qu'ils sont têtus.
Et un jour enfin,
Dans une gare,
Sur une grève,
Au bord d'une de nos routes,
Ils apparaissent.

Honte à ceux qui ne voient que guenilles.
Regardez bien.
Ils portent la lumière
De ceux qui luttent pour leur vie.
Et les dieux (s'il en existe encore),
Les habitent.
Alors dans la nuit,
D'un coup, il apparaît que nous avons de la chance si c'est vers nous qu'ils avancent.
La colonne s'approche,
Et ce qu'elle désigne en silence,
C'est l'endroit où la vie vaut d'être vécue.
Il y a des mots que nous apprendrons de leur bouche,
Des joies que nous trouverons dans leurs yeux.

Regardez-les,
Ils ne nous prennent rien.
Lorsqu'ils ouvrent les mains,
Ce n'est pas pour supplier,
C'est pour nous offrir
Le rêve d'Europe
Que nous avons oublié[1].

1. Ce texte a paru initialement dans *Le 1 Hebdo* du 9 septembre 2015.

GAUZ

CDG Charly de Gaulle

LE GRAND CHARLES

Le plus grand aéroport de France porte le nom du plus grand président de toute l'histoire de France : Charles de Gaulle, 1 mètre 96.

MILICIENS

Un aéroport est une véritable caserne de vigiles. Les vigiles sont la milice privée qui épaule les forces officielles de l'ordre. « Charles de Gaulle », c'est donc quelques soldats et officiers blancs, appuyés par de nombreux supplétifs noirs, parfaite définition d'une caserne de tirailleurs sénégalais.

LES ROUTEURS OU LES « CEINTURIONS »

Ce sont des vigiles spécialisés dans les ceintures rétractables que l'on pose entre deux piquets argentés amovibles pour simuler une barrière. Selon l'affluence, ils dessinent des chemins plus ou moins sinueux pour ne pas que les queues soient trop longues. Entre « ceinturions », parfois le jeu est de construire le chemin le plus tortueux possible entre deux points d'accès ou de contrôle. Une des figures les plus prisées est la « double spirale reverse » ou simplement « double reverse » pour les intimes. Elle consiste à enfoncer les voyageurs de façon concentrique à l'intérieur d'un cercle avant de les refaire sortir. La « double reverse » donne parfois l'impression aux derniers d'être les premiers et aux premiers d'être les derniers. Mais la figure la plus pratiquée reste quand même le « SS » ou « trajectoire Gestapo ». C'est une succession de S très serrés entre un point A et un point B. Quelle que soit la sinuosité du chemin, aucune plainte, même murmurée, n'est jamais enregistrée. Les millions de voyageurs suivent toujours le chemin qu'on leur trace, docilement.

Les « Michael-Jackson »

Avec leurs costumes sombres, chemises blanches et gants blancs obligatoires, il a été facile de trouver le surnom des préposés aux fouilles corporelles.

UFO

Unbelievable Found Object, ce sont les incroyables objets trouvés et confisqués par les « Michael-Jackson » lors des fouilles. On cite pêle-mêle dans le panthéon :

– un sac rempli de pompes métalliques d'alimentation pour moteur de tracteur Massey Ferguson ;

– un phallus en bronze de 24 centimètres et 5 kg ;

– une urne en forme de pointe de lance, remplie d'excréments encore fumants et vraisemblablement d'origine humaine ;

– un fœtus non identifié flottant dans un bocal de formol excédant les 25 centilitres réglementaires ;

– des lames de rasoir en forme de carte de crédit American Express Gold ;

– un chargeur vide de fusil d'assaut de type Kalachnikov modèle AK-47…

Bombe atomique *vs* bombe classique

Les rayons X sont l'une des premières applications civiles de la connaissance de l'atome. Ils permettent de voir à travers des objets massifs par bombardement. C'est techniquement une mini-explosion nucléaire qui permet de voir à travers chaque bagage contrôlé. Ce qui fait qu'au final, chaque année, dans tous les aéroports de la taille de CDG, c'est l'équivalent de plusieurs explosions nucléaires qu'il faut pour empêcher que sautent des explosifs certes plus spectaculairement mortels mais plus écologiquement propres.

Royaume des cieux

Les braqueurs de voitures, de trains ou même de diligences ont toujours un objectif bien terre à terre : prendre l'argent et se tirer le plus loin possible pour en profiter. Les braqueurs d'avions ne demandent jamais d'argent. Eux, ils ont des revendications : indépendance d'États improbables, libération de prisonniers politiques inconnus, haine vive contre tel pays ou tel système social, etc. Jamais rien de terre à terre. Le ciel leur monte à la tête.

Apartheid

À « Charles de Gaulle », la séparation, *apartheid* en afrikaner, des compagnies aériennes est claire :

– Terminal 1 pour les grandes compagnies internationales ;

– Terminal 2 pour Air France, l'enfant du pays ;

– Terminal 3, aussi surnommé Terminal ethnique, pour les « *may be airlines* » ou « air peut-être » dont Cameroon Airlines a longtemps été l'égérie.

La ligne jaune

Une ligne jaune délimite toujours une distance dite de « sécurité et de confidentialité » entre les voyageurs et le guichet de la police aux frontières. Une théorie circule pour expliquer la couleur de cette ligne. Du temps de la fièvre jaune, la ligne éponyme séparait les malades des hommes sains.

Complexe de supériorité

Décliner sa fonction de vigile en magasin à un vigile d'aéroport est une grave erreur. Cela déclenche chez ce dernier une poussée de zèle au dessein de rappeler au premier qu'il est un vigile de basse zone à peine élevé au-dessus de la condition de simple surveillant.

Complexe d'infériorité

La France a attendu deux ans après la mort de De Gaulle pour donner son nom au plus grand édifice architectural de l'époque. En Côte d'Ivoire, c'est de son vivant même qu'on donna son nom au plus grand édifice du pays : le pont Général-de-Gaulle. Ce pays s'est fait une spécialité de l'hommage appuyé aux présidents français. Ainsi, il y existe un énorme boulevard Valéry-Giscard-d'Estaing et un boulevard François-Mitterrand, tous les deux baptisés du vivant des porteurs élyséens de ces noms.

De Gaulle l'Africain

Comme un Amin Dada ou un Jean-Bedel Bokassa, d'avril à juin 1940, il est passé de commandant à général. En 1945, comme un Allassane Ouattara, il a été installé au pouvoir par une puissance étrangère qui a gagné la guerre à la place de son armée. Ensuite, comme un Blaise Compaoré, il a légitimé sa position par des élections. Ne faisant plus l'affaire de ceux qui l'avaient porté au pouvoir, on a dit qu'il avait démissionné en 1946 alors qu'il a été déposé comme un Patrice Lumumba. Puis, pendant son exil intérieur, tel un Sassou Nguesso, il a ruminé sa vengeance et intelligemment préparé son retour. En 1958, tel un Thomas Sankara, après un putsch savamment orchestré avec des parachutistes, il reprend le pouvoir en faisant passer son action pour un plébiscite populaire. Et comme après tous les bons putschs de nos bonnes républiques nègres, il a changé la Constitution pour se dresser le lit d'un long règne sans partage comme un Muammar Kadhafi. Mais en mai 1968, sous la huée d'un immense soulèvement populaire, il a plié mais n'a jamais rompu tel un Laurent Gbagbo. Contraint de partir un ans plus tard comme un Moussa Traoré, c'est de chagrin, le chagrin du pouvoir perdu, qu'il mourra en 1970 comme un Désiré Mobutu.

Antilles *vs* Afrique

Dans la police aux frontières, il y a beaucoup d'Antillais noirs. Ils sont les plus zélés pour trouver des irrégularités dans les documents de voyage des Africains… Un policier antillais contrôlant les passagers d'un vol Air Sénégal, cela s'appelle un match retour.

Asymétrie

Départs : tout le monde, sans distinction de nationalité, passe par les mêmes guichets de police.

Arrivées : les guichets de police font la distinction entre nationaux et étrangers.

Dialogue de bienvenue

– *Privé ou professionnel ?* Le policier.

– *Professionnel.* L'homme noir.

– *Et que venez-vous faire en France* ? Le policier.

– *Acheter un émetteur radio*. L'homme noir.

– *Quel est votre métier ?* Le policier.

– *Technicien radio, c'est écrit dans mon passeport.* L'homme noir.

– *Et qu'est-ce qu'un émetteur radio ?* Le policier.

– *Pardon ?* L'homme noir.

– *Vous êtes technicien radio, alors dites-moi ce que c'est un émetteur radio ?* Le policier.

– *Euh*... L'homme noir.

– *Vous ne savez pas ce que c'est qu'un émetteur radio ? Et vous vous dites technicien radio ?* Le policier.

– ... L'homme noir.

– *De quel pays venez-vous vraiment ? Comment avez-vous eu ce visa ? Vous allez vous expliquer avec...* Le policier.

– *C'est un assemblage de composants électroniques qui, par l'intermédiaire d'une antenne radioélectrique, permet d'émettre des ondes de type hertzien d'une longueur donnée. En général, c'est comme cela que je commence pour ne pas perdre mes étudiants de première année d'électronique dans l'école supérieure où j'enseigne. Là, comme l'indique mon ordre de mission que vous tenez dans la main gauche, je suis mandaté par une petite radio locale appelée Radio Nostalgie pour acheter un émetteur radio. Cette petite radio émet sur une petite bourgade appelée Abidjan, 6 millions d'habitants seulement, et voudrait s'agrandir sur sa banlieue peuplée d'un petit million supplémentaire d'auditeurs potentiels. C'est pourquoi elle paye des spécialistes comme...* L'homme.

– *Circulez, m'sieur.* Le policier interrompant l'homme en tamponnant bruyamment son passeport.

HYPOCRISIE CONSULAIRE OU TOURISTES ET BUSINESSMEN AFRICAINS

Contrairement aux idées télévisuelles et journalistiques reçues, la grande majorité de ceux qu'on appelle indifféremment « sans-papiers », « migrants » ou « clandestins », ne rentrent pas clandestinement en France. Ni à pied, ni par bateau, c'est par avion qu'ils arrivent et avec des visas accordés par les consulats de France à travers le monde. Chaque jour, des milliers de visas « affaires » et « tourisme » sont délivrés par les représentations consulaires. C'est bien connu de tous que les campagnes désertiques du Mali, les forêts denses du Cameroun, les ghettos mal famés d'Abidjan, etc., grouillent d'hommes d'affaires et de touristes qui vont visiter la douce France quinze jours et rentrer sagement les albums remplis de photos de la tour Eiffel. Un « sans-papiers » est un immigré illégal dont le passeur est la France. Et c'est « Charles de Gaulle » qui l'accueille.

Temps de passage

Aux guichets d'accueil de « Charles de Gaulle » spécialement réservés aux nationaux et aux Européens, le temps de passage d'un homme noir possédant un passeport français ou européen est plus de deux fois supérieur à celui d'un homme blanc de la même situation administrative.

Freeshop ou « Ich bin ein Berliner »

Pas de chemins tracés, pas de tracasseries administratives, pas de contrôles, pas de flics, des vigiles tout ce qu'il y a de plus normaux, aucun engin radioactif, de bonnes vieilles caméras de surveillance, des boutiques et enseignes bien connues et remplies d'objets de consommation de tous les choix. Ici, les seules contraintes sont celles imposées par les devises en poche ou les lignes de crédit des cartes bancaires. Dans les vastes espaces policiers et militarisés que sont désormais les aéroports, le *freeshop* est une enclave de liberté capitaliste… comme autrefois Berlin en plein milieu de l'Allemagne de l'Est.

Constance d'antipathie

Pour qui a peur d'être dépaysé en arrivant quelque part, il est rassurant de savoir que la tête du policier qui visera son passeport en sortant d'un pays sera la même que celle du policier qui le contrôlera en entrant dans un autre pays : méfiante et peu amène.

RÉFUGIÉS : LA FRANCE DIVISÉE
PAS CE SOIR :
J'AI LES MIGRANTS
ACCUEIL MAGAZINE
Jul.

JUL

Brigitte Giraud

Je n'ai besoin de rien

Les feuilles ont commencé à tomber dans le jardin, je sais que la corvée est pour bientôt. Mais j'attends que toutes les feuilles jonchent le sol, celles du cerisier, qui se sont détachées d'un coup au premier froid, puis celles de l'érable qui ne vont pas tarder et pour finir celles du platane du voisin qui, poussées par le vent du sud, atterriront sur ma terrasse. Il me faudra alors ratisser et fourrer les tas dans des sacs, puis les porter à la déchetterie. Nous partirons sur la route avec mon fils, c'est sûrement lui qui conduira.

Ramasser les feuilles se fait toujours dans la même lumière rasante, juste avant de passer à l'heure d'hiver et de renoncer à vivre dehors. Je rentre aussi le salon de jardin dans la cabane, puis c'est mon anniversaire.

Je me sers un deuxième bol de café, rien ne presse. En principe je ne réponds pas quand on sonne à la porte, en principe je poursuis mon occupation sans aller jusqu'au portail. Les visites à l'improviste ne sont jamais une bonne surprise. Les témoins de Jéhovah aiment le dimanche matin, ainsi que les rempailleurs de chaises. Je suis encore en pyjama, ou plutôt je porte un pantalon de jogging et un pull. La sonnette retentit une deuxième fois et je ne sais pas pourquoi, je sors dans la cour et j'ouvre.

C'est un homme que je ne connais pas, la peau sombre, ses cheveux noirs et bouclés dépassent du bonnet. Quand il parle je ne comprends pas, puis je devine que c'est de l'anglais. Il est à pied et porte un grand sac contenant des brioches, qu'il vend. Mon premier réflexe est de dire non, non merci je n'ai besoin de rien, *I don't need anything*, mais là, dire non me semble une affaire compliquée. Dire non et refermer le portail requiert une force particulière. Le non que je m'apprête à opposer faiblit puis disparaît. Il est plus simple d'acheter des brioches et de prendre congé. Plus simple et presque doux. Je me dis même que j'ai de la chance que quelqu'un m'apporte des brioches le dimanche matin. Ce n'est pas une pensée mais juste un flash, la proposition de cet homme est intelligente, il fallait y penser. Les efforts que l'homme a déployés pour sourire me touchent, ainsi que pour s'exprimer, dire dans une langue qui n'est pas la sienne.

Je le laisse entrer dans la cour et nous parlons du prix. C'est comme vous voulez, *you give what you want*. Il me présente une brioche familiale emballée dans du plastique, une brioche industrielle, de celles qu'on trouve dans les grandes surfaces et que je n'achète plus depuis longtemps. Je ravale mon enthousiasme mais c'est trop tard. Ses brioches sont celles pour les pauvres, que je connais bien pour en avoir consommé longtemps, celles qu'on met dans le chariot quand on a plusieurs enfants ou un petit salaire, ou pas de travail, ou qu'on ne fait pas attention à ce qu'on mange, une brioche composée de lécithine de soja, de graisses animales non identifiées, de conservateurs et de stabilisants, de sucre en grande quantité, et me vient l'idée que ces brioches qu'il a lui-même achetées ou pourquoi pas volées, ont peut-être quelque chose de suspect, la date de péremption ça ne m'étonnerait pas.

Ces réflexions se télescopent dans ma tête et j'ai honte, mais en même temps que j'ai honte, je commence à calculer le prix de ce genre de produit. Combien une brioche d'environ 400 g peut bien coûter dans un supermarché ? Trois euros, quatre euros ? Je me perds dans l'évaluation pendant que l'homme reste debout dans la cour, puis je rentre pour chercher mon portefeuille, priant pour avoir de la monnaie. La porte est ouverte, l'homme pourrait s'introduire chez moi, il pourrait me neutraliser, prendre mon sac, se servir dans les placards, et même monter à l'étage où dort encore mon fils. Mais aucune de ces hypothèses ne me traverse, je suis tout occupée à me demander si je lui propose trop ou pas assez, et comme j'ai peur de ne pas être juste, je compte au plus logique, le prix supposé de la brioche auquel j'ajoute la livraison mais d'où je retranche le fait que je n'ai rien réclamé. Cela fait une gymnastique qui m'empêche d'être aimable avec l'homme que je n'ai toujours pas convié à entrer. J'arrondirais bien à dix euros, mais ce qui m'importe est que je ne paie pas ma brioche trois fois plus cher qu'en magasin, en même temps c'est une façon d'aider cet homme, le prix d'une brioche n'a plus rien à voir avec la marchandise. Si je donne trop, l'homme pensera que je le prends pour un mendiant, je risque de blesser mon vendeur toujours planté au milieu de la cour, le soleil derrière la tête. Si je ne donne pas assez, je l'insulte, lui qui a peut-être traversé la mer sur une embarcation de misère. Lui qui est peut-être venu d'Érythrée, de Somalie ou de Syrie pour me porter mon petit-déjeuner à domicile.

Après avoir fermé la fenêtre de la cuisine qui, avec la porte ouverte, provoque un courant d'air, au moment où j'opte pour la version basse de cinq euros, montrant à l'homme que nous sommes dans un rapport d'affaires courantes et non pas dans un échange empreint d'une quelconque pitié, je le vois qui choisit dans son grand cabas la brioche qu'il va m'attribuer, en prenant bien son temps, révélant que les brioches ne sont pas toutes identiques. Je me demande si, me trouvant généreuse, il espère me donner la plus fraîche (les dates de péremption sont donc bien à surveiller), ou au contraire la moins appétissante s'il trouve que mon calcul est pingre. Je n'avais pas anticipé, mais soudain m'importe ce que cet homme pense de moi. Comment va-t-il me juger ? C'est comme s'il me tendait un miroir, quand son téléphone sonne. Il se met à parler fort dans la cour, pile sous la fenêtre de la chambre où dort encore mon fils, et cette façon de parler sans se soucier des autres, en agitant le bras resté libre, me contrarie. Je l'invite à rentrer, pour que ses presque cris ne réveillent pas mon grand adolescent couché tardivement, et aussitôt je me sens ridicule de me soucier d'un garçon qui est chez lui comme un coq en pâte alors que cet homme dort peut-être dans la rue, ou dans un abri de fortune. Je sens monter un malaise de plus en plus fort, je ne suis responsable ni du campement improvisé au bord du périphérique où vivent des familles avec enfants, ni des grasses matinées interminables de mon fils. L'homme au téléphone n'est guère aimable et même un peu expéditif, je me demande à qui il parle, dans une langue que je ne comprends pas, et comme il semble compter les brioches en même temps qu'il bouge le bras, j'opte pour une gestion en direct, auprès d'un fournisseur pressant. Cet individu est probablement affilié à une mafia, ou plutôt exploité par une mafia, je me sens soudain moins encline à donner de l'argent, ma naïveté n'a pas de bornes. Je m'apprête à alimenter malgré moi un trafic d'armes, à moins que l'interlocuteur ne soit un passeur.

J'attends que l'homme raccroche pour liquider la situation, prendre la brioche et le mettre gentiment dehors, mais la conversation dure et je ne sais pas quoi faire là dans la cuisine sous l'œil indiscret de ce visiteur du dimanche, je ne peux pas vaquer à mes occupations, me mettre à boire mon café qui refroidit sans lui en proposer une tasse. Alors j'ouvre le lave-vaisselle que je m'apprête à vider pour ne pas sembler oisive, ce n'est pas parce que j'habite dans une maison avec jardin et que je suis chez moi en jogging le dimanche matin que je ne fais pas partie de la population laborieuse, je ne voudrais pas que mon vendeur me juge comme un être supérieur, un dominant et lui un domestique noir de peau. J'espère que l'homme, toujours au téléphone, ne se sentira pas rabaissé du fait que j'étale sous ses yeux mes assiettes étincelantes, mais le voilà qui raccroche, alors je ferme la porte du lave-vaisselle, et j'aperçois que son mobile est un modèle plus récent que le mien, et tout se trouble à nouveau dans ma tête, les migrants, la solidarité, mon imprudence à ouvrir au premier venu. Ce modèle de téléphone tactile jure avec l'homme modeste, sans doute un réfugié, portant veste mal coupée et pantalon de velours déformé. Je prends la brioche qu'il finit par me tendre, je remercie en souriant un peu trop et glisse cinq euros dans sa main aux doigts longs et fins, en même temps que j'amorce un mouvement vers la sortie.

L'homme se tourne vers moi, visiblement déçu, et conteste. Il demande si je ne peux pas donner plus, *more money*, il dit que la brioche est bonne, il dit qu'il a besoin d'argent, *need money*. Son visage se fige puis se décompose, ses yeux prennent une teinte presque noire, et je visualise la scène, cet homme debout chez moi, sur le seuil à l'exact passage du dedans au dehors, la maison construite en U autour de la cour, les pièces à l'étage, bien trop spacieuses pour mon fils et moi, ma voiture garée là, d'une bonne cylindrée et en bon état, les fenêtres de la maison qui viennent juste d'être changées, mais le crépi toujours dans son jus un peu sale. L'homme affable se redresse et se change en homme qui exige, je ne voudrais pas qu'il me toise. Me revoilà à la case départ, j'ai acheté la brioche et c'est comme si je n'avais rien accompli. J'ai joué le jeu et pensais que le jeu s'arrêterait là. Mais c'est ici que la partie commence. L'homme réfugié se rebelle, ce n'était pas prévu. Je cherche des pièces pour compléter, je sens la peur qui arrive, et la colère. Mais je ne sais pas contre quoi. Ni contre lui ni contre moi.

Octobre 2015

Régis Jauffret
Aylan

J'ai à peine existé. Elle était petite ma part de vie. Je n'ai pas eu le temps de sentir sur mes lèvres le goût du bonheur. Je n'ai pas eu le temps d'aimer. Je ne ferai jamais l'amour. Je n'aurai pas d'enfant. Pas de maison. Pas de voiture. Pas de chat. Le dimanche matin je ne réveillerai personne d'un baiser dans le cou. La mort m'a annulé comme une erreur. Que ma mort ne serve à personne. Je ne suis pas les bateaux. Je ne suis pas les foules. Je ne suis pas les autres enfants morts. Je ne suis pas tous les enfants du monde à la fois. Je suis celui qui ne vivra pas. Que ma photo rejoigne le néant où vous m'avez envoyé sans même me laisser le temps de savoir le nom du néant.

MIGRANTS : Émotion internationale après la découverte du corps d'un petit Syrien, Aylan Kurdi, sur les côtes turques.

PLANTU

LOLA LAFON

Avant le procès, mes expériences avec la police sont surtout liées à mon pays d'origine. Ses règles, ses non-dits. L'habileté dont il fallait savoir faire preuve pour ne jamais avoir affaire à la Securitate. Être malin, discret et silencieux. Le dimanche matin, la télé roumaine diffusait de vieux épisodes de *Ma sorcière bien aimée* et j'entrevoyais cet autre monde magique dont je ne connaissais que ça, une cuisine américaine des années 1950, des avenues rectilignes et la coiffure dépassée d'une femme au foyer appliquée à être bête et drôle.

La vie à l'Ouest m'apparaissait comme une sorte de sac cadeau dans lequel il y aurait des droits, un passeport, une cuisine équipée et des conversations loin des micros cachés dans nos téléphones et nos lampes, le tout légèrement parfumé d'une odeur fraîche, du lilas soluble peut-être, plus jamais celle des saucisses de porc grillées qui envahissait les étés de Bucarest. En passant d'une frontière à l'autre, je croyais qu'on acquérait cette vie-là, débarrassée et claire, mise au propre, une existence facile, sans complications, complots, uniformes ni dénonciations.

Mes premières années à Paris, je me laisse avaler avec délices, soumise à l'envoûtement des Monoprix, de Drucker au soir des samedis et des jeunes élèves de l'école de danse. Je calque leur nonchalance blasée, leur sweat-shirt qu'ils déchirent minutieusement aux ciseaux. Les enfants de l'Ouest n'ont peur de rien et j'idolâtre leurs dégoûts. Leur regard est empli d'un savoir tranquille, ils mettent une majuscule à droits, ils savent que leurs ennuis, s'ils en ont, ne dureront pas. En deux mois, je n'ai plus ou presque d'accent étranger. Quand parfois on me demande d'où je viens, je parle de Canada, d'Autriche, de lieux que je connais si mal qu'ils me semblent invérifiables.

Lors des réunions de famille, j'observe ces corps familièrement étrangers, corps apeurés aux habits raisonnables, discrets, et je les hais. Leurs vies méticuleuses, je les méprise. Leur application à être bien notés des Français. Leur regard qui se jette au sol dans le métro dès qu'ils pourraient être pris à témoin. Je hais les recommandations tacites de mes parents, leurs sourires qui se figent quand je parle trop fort en roumain en public. Surtout fais bien attention, me dit-on. Sois gentille. Il s'agit d'être gentille ici. Ravale, avale. Souvent, des amis de mes parents me congratulent d'être blonde, c'est vrai tu ne fais pas roumaine. Et il me semble qu'on me félicite de mon odeur moins forte que prévu, c'est appréciable. Se faire aimable, souple, blanche et moderne. Nous, les Autres, puisque j'en suis aussi, même si en arrivant ici je me suis calquée à vous, nous appliquons à disparaître, formés comme nous le sommes à la discrétion. On se fond et se courbe, on se plie en quatre dans des coffres de voiture, sans faire de bruit.

Les filles de l'Est sont plus compréh
lors d'un dîner à ses amis amusés, ... m
une pute, on peut tout faire et c'est gr
Je blague, dit-il.

Jusqu'à ce procès qui me désigne comme coupable, je manœuvre parfaitement. Je me lisse, me couche et me vends à ce pays pérorant sans cesse, exhibant fièrement ses petites colères sociales très vite éteintes comme autant de preuves de sa grande magnanimité de gauche. Ses Droits pour tous, ses SOS au racisme.

Je fais bien attention et ça fonctionne, tandis qu'année après année je vois les Français s'enhardir. Dans la rue, ils se retournent sur les femmes aux cheveux couverts, suffisants – en France laïque dis donc, ça fait de la peine de voir ça –, à la télé, des petits chanteurs ébouriffés d'en être arrivés là parlent de l'odeur des Roumains du métro devant un public conquis, souvent on m'implore d'avoir de l'humour quand même et je leur souris, me colle à eux et à leur haleine simple de dents saines. Je n'ai pas d'ennemis, on m'a juré qu'ils sont morts avec Ceauseşcu. La simple notion d'ennemi est une image de mauvais feuilleton, de type sombre et barbu à la recherche d'une mallette de billets. Les jeunes filles modernes n'ont pas d'ennemis[1].

1. Ce texte est extrait de *Nous sommes les oiseaux de la tempête qui s'annonce*, Babel, 2014.

Alain Mabanckou

Oui, je suis un migrant…

Je vis dans le 18e arrondissement, non loin d'un centre d'« accueil des étrangers ».

Le matin, en sortant de notre immeuble, je les trouve là, faisant la queue.

Le soir, en rentrant, ils sont toujours là.

Certains ont les visages des gens de chez moi. Sans doute des cousins lointains, qui sait ? Dans leur regard je sens qu'ils envient ma liberté d'entrer, de sortir du bâtiment à n'importe quelle heure.

Quand ils me demandent une cigarette, je sais que c'est un moyen pour eux d'entamer la conversation.

Et puis, un jour, je suis tombé sur l'un d'eux qui parlait ma langue, le lingala. Il n'était pas congolais, mais angolais.

– Réfugié ? lui demandai-je.

– Ah non, migrant ! hurla-t-il presque.

– Et c'est quoi la différence ? rétorquai-je.

– Eh bien, je préfère aujourd'hui être qualifié de migrant parce qu'au moins je suis dans l'actualité et on réglera peut-être mon problème…

– Et réfugié, alors ? insistai-je.

– C'est la même chose ! On quitte tous notre pays ! Mon grand frère était immigré, mon oncle réfugié, et moi je suis migrant… Toi-même, c'est pas parce que tu as eu plus de chance que moi que tu oublierais ça : le séjour d'un tronc d'arbre dans la rivière ne le transformera jamais en crocodile !…

*

Oui, il avait raison, ce « cousin » du 18e.

Je suis un migrant dans une certaine mesure.

Cette terre de France n'est pas mon lieu de naissance. Cela a-t-il vraiment de l'importance ?

La France ? Je sais ce que je lui dois, mais ce qu'elle me doit est certainement au-dessus de ses moyens. Il suffit que je lui rappelle que je suis le descendant des tirailleurs sénégalais. Que je suis du Congo-Brazzaville et que mon pays a reçu des « migrants » venus de cette Europe plongée dans le chaos du nazisme. Que Brazzaville, la capitale de mon pays, a été celle de la France libre dans les années 1940. Que si par hasard on visitait ma terre d'origine, on serait surpris de trouver des avenues du Général-de-Gaulle, du Maréchal-Leclerc, etc. Qu'il y a encore, toujours à Brazzaville, la « Case de Gaulle », lieu de résidence de l'ambassadeur de France au Congo. Que nous n'avons jamais failli à notre sens de l'hospitalité. Que nous ne nous sommes jamais laissé tenter par l'ingratitude. Qu'aujourd'hui mon pays d'origine reste la source, le lieu de mon apaisement tandis que la France est le pays adoptif. Que l'Amérique, où je vis désormais, me permet en réalité d'aimer encore le Congo et la France. Que je ne peux m'accomplir qu'à travers cette identité tricontinentale – Afrique, Europe, Amérique – comme un triangle qui rappelle curieusement le commerce le plus funeste subi par ceux qui ont la même couleur que moi. Sauf qu'aujourd'hui je ne suis pas un homme de couleur en colère, mais tout simplement un être humain indigné par le spectacle insipide que nous offrent ces grandes puissances qui larguent des manuels de natation à des populations en train de se noyer…

PASCAL MANOUKIAN

Les échoués

Ils sont des milliers. Ils sont vingt et cent. Nus, maigres et tremblants dans des bateaux bondés.

Ils se croyaient des hommes, ils ne sont que des nombres.

Mille, cent mille, bientôt des millions.

Rien, ni les murs, ni les chiens ne les arrêteront. Leur courage, c'est leur désespoir. Il est immense.

Accrochés aux bastingages, en grappes difformes, sans noms et sans visages, ils tendent les bras vers nous dans l'unique espoir de vivre debout.

Ils s'appellent Virgil, Assan, Iman ou Chanchal. Ils fuient Alep, les camps ou la lame des exciseuses. Ils n'ont plus de regard à force de scruter à l'horizon la fin de leur cauchemar.

J'aimerais pouvoir les sauver des eaux, comme en mer de Chine nous sauvions les boat people, il y a trente ans, à l'époque où l'humanitaire s'improvisait encore. Personne n'osait alors demander, avant de leur porter secours, combien risquait de coûter un réfugié vivant. Nous les arrachions de justesse aux mains des pirates et à la gueule des requins. Les muscles nous faisaient mal à force de les hisser à bord.

Aujourd'hui, les pirates battent pavillons grec ou italien. Ils repoussent les bateaux par peur d'une invasion barbare. Les requins, eux, n'infestent plus la mer mais grouillent sur les quais de ports libyens. Ils chargent la misère en toute impunité à bord de bateaux-poubelles et, la nuit tombée, quittent les côtes d'une Libye abandonnée au chaos par ceux qui se targuaient pourtant de la libérer. Depuis, presque sans un mot, chaque soir devant nos écrans nous les regardons périr dans les eaux bleues de nos vacances.

Alors, comme Henry Morgenthau, ambassadeur américain en Turquie, témoin impuissant de la déportation des Arméniens en 1915, écrivait sa colère, je noircis la mienne.

Les déportés d'aujourd'hui sont volontaires, mais lequel d'entre nous ne le serait pas si son avenir se réduisait à survivre en Somalie, en Syrie ou en Érythrée ?

Chaque mois, des dizaines de convois misérables s'enfoncent dans les déserts, encadrés par des kapos qui les ébranlent à coups de triques s'offrant au passage les femmes et les jeunes filles comme on s'offre une bière. Les plus solides, à peine sortis des dunes, sont entassés à bord d'épaves, emportés au large et abandonnés à une mort presque certaine par des équipages déjà repartis charger d'autres bateaux. Peu importe le nombre de cadavres, les survivants sont attendus sur nos chantiers, dans les cuisines de nos restaurants, dans les cales de nos paquebots, le confort de nos bureaux pour décharger, nettoyer ou vider les poubelles. Comment reprocher à ces échoués de choisir l'exil plutôt que la résistance quand on se targue d'être Républicains ?

Le manque de courage n'est pas de prendre la mer, mais de vouloir les y renvoyer. Il ne faut pas regarder ce qu'ils sont mais ce qu'ils peuvent devenir. Tous sont allés au bout de leurs projets malgré les risques. Ils ont survécu à toutes les épreuves. Ce sont des entrepreneurs. Combien de mécanos, de futurs infirmiers ou d'instituteurs dans ces bateaux à la dérive ? Combien de Marie Skłodowska Curie, de Georges Charpak, de Mohed Altrad dans ces queues interminables devant nos préfectures ? Les enfants repêchés il y a trente ans en mer de Chine sont aujourd'hui restaurateurs, ingénieurs, médecins ou informaticiens.

La droite française devrait penser avec sa tête plutôt qu'avec son Front. Leur ouvrir grands les bras à l'image de la croix de Lorraine dont elle se revendique. Elle devrait s'inspirer du courage d'un Jean-Paul Sartre qui en 1979, lui, le communiste, n'a pas hésité à fustiger ses camarades de Hanoi et à s'allier à Raymond Aron, son ennemi de toujours, pour souhaiter la bienvenue aux échoués de mer de Chine.

Sans calcul politique. Parce que, disait-il, « ce qui compte ici c'est que ce sont des hommes, des hommes en danger de mort ».

C'est une véritable invasion.
il est urgent de durcir notre politique migratoire.
joann

JOANN SFAR

Isabelle Monnin

Non, je ne peux plus

Il a dit : « Non, je ne peux plus. »

Elle n'a pas entendu.

Elle a retiré sa robe dans un geste millénaire. C'était l'heure tranquille de la plage vidée des parasols, rincée des huiles solaires, l'heure offerte aux horizons. Leurs vêtements faisaient un petit tas de liberté sans surveillance, elle avait des envies de courir jusqu'au bleu, des envies d'éclaboussures sur son ventre clair, des envies.

Elle a pris sa main. « Viens. »

Il l'a redit, il plissait les yeux : « Non, je ne peux plus. »

Elle n'a pas entendu.

Elle attachait ses cheveux, puis non, les détachait. Des envies de tout délier. Elle pensait nous sommes seuls au monde, regarde, la mer a cent mille ans pour nous. « Viens. »

Dans leur baiser, ses lèvres ont répété : « Non, je ne peux plus. »

Elle a ri en disant qu'il s'agissait d'une course, le dernier qui entre dans l'eau embrasse l'autre pendant au moins trente secondes, elle a ri en se cambrant comme une athlète sur la ligne du départ, elle a crié trois, deux, un, zéro,

il est resté planté là.

« Non, je ne peux plus » et elle atteint le trait émouvant de l'écume toujours revenue.

« Non, je ne peux plus » et elle ne ralentit pas pour entrer dans l'eau jusqu'à la taille.

« Non, je ne peux plus » et il peut raconter la caresse fluide sur jambes-dos-ventre.

« Non, je ne peux plus » et il ne voit plus que sa tête, les algues de ses cheveux mouillés.

« Non, je ne peux plus » et elle ne se retourne pas, son crâne est un point flottant dans l'illimité. Son crâne est un point flottant dans l'éternité des crêtes des vagues. Son crâne est un point flottant dans l'immensité des crânes-bassins-clavicules blanchis, ses jambes frôlent, inconscientes, les tibias errants. Son corps est une insouciance jouant au milieu des enfants livides, de leurs parents hagards, des amants décharnés, et il voit leur effroi danser glacé si près de la rive ; son corps est un aveugle effleurant sans les deviner leurs souvenirs et avenirs inutiles, ils sont de guerre et de joie ; son corps est une bouche sèche, riant dans la houle sans en sentir les relents décomposés ; son corps est un sourd exultant au milieu des cadavres de toute l'humanité-barbelés, engloutie de n'avoir pas su abriter. Son corps jouissant est déjà mort de ne pas savoir les dépouilles qui l'entourent, il est une profanation du cimetière liquide.

Non je ne peux plus.

Claude Ponti

Un dessin

Un jour, à l'hôpital psychiatrique militaire de ma réforme définitive, un Breton, versé malgré lui dans la Marine, interné parce qu'il s'était jeté à la mer du haut de son croiseur, m'a dit : « Je veux bien être soldat, mais pas marin. Mon père, mon grand-père et mon oncle, tous pêcheurs, sont morts en mer. Pour moi, la mer est une tombe. Je suis breton mais j'ai la mer en haine. Et je hais les touristes qui se baignent sans soucis dans mon cimetière. » De qui la mer est-elle le cimetière ? De marins, de pêcheurs, d'aventuriers, de voyageurs, de réfugiés, d'immigrés, de pauvres, de riches, d'insouciants, de suicidés volontaires ou non. Et d'enfants. D'enfants des un(e)s et des autres.

Au lycée, mon prof de philo m'a appris le concept de « sensibilité kilométrique ». Tuer à la baïonnette, ou du haut d'un bombardier à 10 000 mètres d'altitude. Tu vois, tu sens ce que tu fais, la résistance de la peau du ventre, ou tu ne vois ni ne sens rien. À la rigueur, tu vois le panache de l'explosion, en bas, au loin, derrière, ailleurs.

On peut « vivre » la mort d'un(e) proche. Pas celle d'un(e) inconnu(e) au loin. Pour qui on ne peut que savoir. Être l'acteur ou… le spectateur ? Le « regardeur » ? Le témoin lointain ? La personne qui sait et qui ne fait rien. Impuissante. Sauf à s'en émouvoir ou pas. Et ensuite agir parce que c'est insupportable. Ou ne pas agir.

Écrire ce texte ou faire un dessin n'est pas agir. Vivre est difficile. Très difficile pour certains, parfois impossible. Moi ça va, je suis épargné. J'ai et j'ai eu beaucoup de chance. J'ai des dons et on m'a tendu la main, même quand je ne savais pas le vouloir.

J'ai admis que l'humain ne l'est qu'avec son inhumanité. Nous sommes les deux. Ambivalence et ambiguïté.

« Qu'est-ce que vous voulez qu'on y fasse, il faut s'y faire. » Je pourrais dire : « Hé, je ne m'y fais pas ! » Mais, petit à petit, une grande partie de moi s'y est faite. L'autre partie renâcle encore. Transige. Mes choix étaient simples : ne pas être militaire, ni juge, ni juré, ni électeur. Si je ne pouvais rien y faire, au moins je ne voulais pas le faire. Ni en être. Jusqu'au Front national.

Depuis je vote. Mais je ne peux toujours rien y faire. Protester, s'insurger, est si vain. Puisque la guerre, économique, militaire, religieuse, d'expansion, coloniale, de libération, est inévitable. « Si humaine. » On tourne en rond.

Un enfant noyé s'échoue sur une plage, un autre meurt dans un lave-linge. D'autres périssent à Calais. Ou parce qu'ils sont filles. Certains n'ont ni école ni maison. Dans ce monde, on peut brûler, vendre, acheter, violer, découper, utiliser un enfant. C'est un fait que la plupart admettent. Oui, c'est un fait, au sens de c'est une chose qui est faite. Pas au sens de constat. Lorsqu'un petit corps en bleu et rouge s'échoue sur une plage, il gonfle l'Océan des enfants morts, sacrifiés à la raison humaine, qui, comme la raison d'État, massacre les uns au nom du bien fait à tous. Bien qui n'est souvent que le mieux de quelques-uns. Cet Océan a ses plages de vertu outragées, ses falaises rongées d'émotions fugaces, ses ressacs de honte et de désespoir. Cet Océan s'appelle Omayra Sánchez, Aylan Kurdi, Zyed Benna et Bouna Traoré, enfants de la Croisade des Enfants, enfants des camps de réfugiés ou de la mort, enfants des terres occupées, enfants au travail. Qui est au désespoir ? Nous, avec notre indignation ? Ou eux, enfants décapités, au propre et au figuré ?

Aujourd'hui, beaucoup de murs séparateurs sont construits et se construisent. De chaque côté, des enfants sont élevés dans la haine des enfants de l'autre côté. Et dans le désir de posséder l'autre côté ou de le détruire. À bien y regarder, la Méditerranée est un mur. Une tombe et un mur. La haine et l'envie sont si puissantes que même le cynisme qui dit que l'Europe a besoin de « main-d'œuvre » pour faire durer son égoïste mode de vie n'est pas acceptable.

La Méditerranée est un très haut mur. Je n'aurai pas l'indécence de dire que cela me révolte. Pendre une bannière de bouddha détruit à l'explosif sur une façade de musée ou exposer la photo d'un temple dynamité n'a aucun effet sinon de narcissisme. La révolte devrait être une action, pas une indignation. Le dire ou l'écrire n'est rien. Certainement pas une mise en danger.

Je pense à un ami diplomate, reconverti dans la culture, qui me disait : « Je suis heureux d'être là, au moins je peux faire quelque chose. Et parfois quelque chose de bien. » J'espère être dans la même position que lui : ne pas faire de mal, et peut-être un tout petit peu de bien. À des enfants. Je ne pourrai jamais convaincre aucun adulte « adultifié » qu'il faut commencer par là : apprendre aux enfants les autres enfants. Pour qu'ils deviennent des êtres matures prêts à forger de la droiture humaine.

Une expression ancienne, à propos des victimes de naufrages, dit « disparus corps et âme ». C'est une vérité : nos âmes se noient avec celles des enfants morts. Le poids d'une mauvaise conscience de nanti est infime par rapport à celui d'une âme d'enfant mort noyé. On en revient à l'indécence. L'idée qu'il y a un enfant mort de trop, ou simplement plus visible, est aussi difficile à entendre que l'idée qu'à Calais, c'en est trop, et que la goutte d'eau, soudain, fait déborder la jungle. La goutte d'eau, oui. Mais la première de l'Océan des disparus corps et âme. Et voilà encore l'indécence. Parce que je n'y peux rien. Je peux faire un tout petit geste pour que ça change. Là, sur le moment, pour éviter le pire. Je m'indigne, je signe une pétition et je m'en remets aux autorités.

Mais le vrai, c'est la première goutte. Et le peu que je puisse donner, je le donne aux enfants. Si ce texte vous sert, tant mieux. Mais je ne vous ferai pas de dessin.

Jean-Michel Ribes

Réfugiés

Qu'ils sont nombreux, dans notre beau pays des Droits de l'Homme, les réfugiés. Réfugiés dans le confort, la haine de l'autre, leurs petits souliers, la charité qui commence par soi-même, l'après moi le déluge, le marchez pas sur ma pelouse, mon pays d'abord, et moi est-ce qu'on m'aide ? etc.

Heureusement, il y a aussi tous ceux qui savent que les gens qui se noient avant d'aborder Lampedusa ou ce petit garçon de trois ans immobilisé par la mort sur une plage de Bodrum, c'est notre famille, notre fils. Ils sont tous ce que nous sommes, des humains. Il est urgent de nous accueillir.

NON SEULEMENT ILS PASSENT À L'IMPROVISTE, MAIS EN PLUS ILS ARRIVENT LES MAINS VIDES.
O. TALLEC

Olivier Tallec

Lydie Salvayre

Défense et illustration du fragnol

Ma mère passa les Pyrénées le 8 février 1939, après trente jours de marche sous les bombes à travers la Catalogne dévastée.
Et ce passage décida de ma vie.
Ma mère naquit à Fatarella (provincia de Tarragona), suivit les cours de l'école catholique de La Sainte Apparition, fit chaque mois de novembre la cueillette d'olives, le dos rompu, fêta son quinzième anniversaire au début de la guerre civile et, devant la progression des forces franquistes sur le front de l'Èbre, quitta son village dans les larmes, en janvier 1939.
Après le franchissement de la frontière franco-espagnole et des séjours inoubliables dans divers camps d'internement, ma jeune mère de 17 ans, désemparée, perdue, malheureuse dans son nouveau pays dont elle ne savait rien, commença par s'exprimer avec les mains, puis apprit par cœur les paroles de *Y'a d'la joie* car elle aimait chanter, et inventa comme elle le put la langue avec laquelle elle m'apprit à parler.
J'ai aujourd'hui la secrète conviction que cette langue bricolée, hybride et rendue inventive par pure nécessité, cette langue qui traversait les frontières au mépris des lois de la grammaire, de la syntaxe et du vocabulaire

en faisant fleurir néologismes, barbarismes, solécismes, mots-valises, faux amis et autres copulations langagières, j'ai la secrète conviction, disais-je, que cette langue enfantée par ma mère m'amena dès l'enfance à accorder aux mots une attention aiguë qui deviendrait très vite une passion, et me ferait, bien plus tard, écrivain.

Est-il nécessaire de dire que ma mère paya cher cette vie d'exilée, qui lui fit abandonner une maison aimée entourée d'oliviers, des parents paysans solides comme chênes, une sœur aînée prénommée Teresa, des rêves à paillettes et mille choses encore que j'ignore. En France, le hasard la fit échouer dans un village du Sud-Ouest, où elle gagna sa vie en faisant des travaux de couture, chanta jusqu'à s'en étourdir les chansons de Carlos Gardel (et notamment *Volver* qui signifie Revenir), et se vécut jusqu'à la fin comme l'étrangère du village qui parlait, disait-on, comme une vache espagnole.

Mais elle qui avait grandi dans une famille qui ne s'était jamais aventurée plus loin que la ville de Reus distante de son village de 30 kilomètres, elle qui ne connaissait rien du monde et de ses usages, elle qui s'apprêtait à mener la même vie que sa mère, sa grand-mère et son arrière-grand-mère ponctuée des mêmes gestes et des mêmes routines, elle que rien ne destinait à des savoirs luxueux (car apprendre une langue étrangère, à Fatarella, était un privilège réservé aux enfants de riches), apprit, dans sa vie traversière, à s'exprimer dans un idiome qui empruntait, luxueusement, au français et à l'espagnol, un idiome complétant l'autre, chamboulant l'autre, suppléant l'autre, ravivant l'autre, libérant l'autre, distrayant l'autre, poétisant l'autre, dévergondant

l'autre, espagnolisant l'autre, ou le faisant trébucher, rien que pour jouer. Et réciproquement.
Cette langue, je l'appelle le fragnol.
Et j'en veux faire ici l'éloge.
Car, dans un monde où nous sommes parlés plus que nous ne parlons (parlés par la télévision, par la publicité, par l'opinion, par tous ces abrutissoirs qui sont plus nombreux que les mouches), cette langue bâtarde, mixte, mezclée aurait dit ma mère, cette langue sonne de façon absolument singulière.
Car en sonnant de façon absolument singulière, en donnant à tout ce qu'elle dit un accent inédit, elle affirme du même coup sa résistance au parler majoritaire.
Car en venant secouer l'hégémonie du parler majoritaire véhiculé par les voix officielles, je veux dire du français lisse, propret et insipide, du français parfaitement moyen, parfaitement morne, et parfaitement mort, du français convenu, sans surprises ni audaces, qui voudrait passer pour le seul légitime.
Car c'est une langue qui réjouit, qui prend des libertés, je l'ai dit, avec la langue dominante, mais gaiement, mais en faisant des pieds de nez, mais en tirant la langue. Une langue que Rabelais et Céline auraient aimée, je crois : espiègle, joyeuse et « menant souvent à la rigolade ». Une langue qui nous réconcilie avec le goût du jeu (depuis que le principe ludique rabelaisien s'est trouvé méprisé et trahi par le classicisme, épris de clarté, de juste mesure et d'ordre, il faudrait développer mais je manque d'espace).
Une langue qui, par sa malice et ses incorrections, vient dissiper le drapé, le sérieux, la solennité du bien-dire, et déplisser les fronts les plus renfrognés.

Une langue qui introduit dans chaque phrase une pincée de sel y una pizca de pimienta.
Une langue qui chaque jour s'invente et s'élucubre, qui défixe les mots, les décloue de leur bois, les détourne du sens dont ils sont prisonniers, une langue qui défait, à pic nommé, les expressions toutes faites, qui ouvre des issues et fait passer de l'air.
Une langue éloignée de tout principe hiérarchique, mots savants et grossiers aimés d'un même cœur, je t'en foutrais si j'ose dire.
Une langue qui confirme ce que Carlo Emilio Gadda, mon admiré, ne cessa de rappeler, à savoir que la langue se régénère toujours dans la rue, par le peuple, par le génie linguistique du peuple, et non par l'académisme culturel et littéraire qui s'emploie à la codifier.
Une langue impure, extrêmement, et qui, mine de rien, fait entrer de l'autre, fait entrer de l'Espagne, fait entrer des espagnes, fait entrer des autrement-dire, et peut-être, du même coup, des autrement-penser, on s'élargit, on respire.
Une langue qui réalise le fameux bond hors du rang des meurtriers, les meurtriers ici n'étant munis ni de coutelas ni de haches à refendre, mais armés de stéréotypes et animés du souci gendarmesque de purifier, de réglementer, de normaliser la langue et de la mettre au pas, fixe.
Une langue qui porte en elle une part d'opacité, dans une société que l'univers communicationnaire voudrait transparente comme l'eau. La transparence, aurait dit ma mère, est le cadeau de mes soucis.
Bref, une langue vivante, vivante, vivante et qui me sert constamment d'exemple.

Abdellah Taïa

Ils sont comme moi

Ils sont comme moi. Ils sont moi.

Dans les rues de Paris, je les vois tous les jours. Bien plus que moi, ils sont dans l'errance. Ils viennent d'arriver mais ils savent qu'il faut repartir vite ailleurs, ce pays n'est pas pour eux, ces gens ne veulent pas d'eux. Ici aussi les yeux sont devenus durs, froids, impitoyables. Ici aussi les cœurs sont morts. L'horreur est partout. Le vent est glacial. Le soleil est rare. Dieu ne parle plus.

Rejetés, menacés, tués là-bas. Invisibles, exploités, diminués ici.

Où partir ? Où fuir ? Où continuer la vie jusqu'à la mort ? Où se débarrasser de la terreur qui colle à la peau, de ce poison humain devenu banal ?

Les mêmes questions pour eux. Pour moi.

Je suis ici depuis 1998. J'ai fait l'intelligent. Le calculateur. J'ai fini par sortir de la pauvreté, par sauver ma peau. Vraiment ?

Eux, cet été 2015, on ne voit qu'eux. On ne parle que d'eux. On fait semblant de les aimer. De les accueillir. À force de stratégies politiques fictives, on a détruit le sens de la vie pour eux. Il n'y a plus de pays. Il n'y a plus d'amis. Il n'y a que ce chemin dangereux vers le salut, la survie, le rêve impossible. Depuis des millions d'années tant d'autres hommes l'ont emprunté, y ont marché lentement, y ont laissé des traces, des âmes. Nous. Moi. Notre Histoire.

J'allume la télévision. Elle parle en français. Des mots et des mots soudain vides, et assassins, assumés, revendiqués. Eux, ils ne sont pas nous. Ils viennent nous prendre nos richesses, notre identité. Ils vont nous remplacer, méfiez-vous. Ils vont nous contaminer par leur religion. Ils vont nous tuer, sûrement. Méfiez-vous, je vous dis, méfiez-vous : ils sont tous des terroristes. Ils ne sont pas des migrants. Non. Non. Ils jouent la comédie, très bien. Regardez-les, regardez-les : ils ne sont pas comme nous. Ils ne peuvent pas être comme nous. Soyons forts face à eux, face à cette invasion. Résistons ! Résistons tous !

D'autres questions s'imposent. Personne avec qui vraiment les partager. Qui appeler au téléphone ? Qui va comprendre ? Qui va écouter ? Qui va pleurer avec moi ?

Que puis-je faire ?

Je suis moi aussi si bien installé dans mon égoïsme parisien, ma petite carrière, dans mes tentatives absurdes, dans les humiliations, dans la colère, dans de vraies envies de meurtre.

Aimer. Tuer.

J'oublie l'été. Je continue de regarder la télévision. Je ne fais que cela. Je ne prête plus attention aux mots en français. Seuls ces visages qui débarquent m'intéressent, m'habitent. Me portent. Me sauvent. Ils disent tant d'histoires qui les dépassent, ils portent sur eux toutes les tragédies, toutes les guerres, toutes les contradictions, tous les espoirs.

Je tends la main pour caresser les cheveux de cette petite fille. J'admire le visage triste et tellement beau de cette femme : elle porte un très joli voile bleu. Je lis parfaitement ce qui se cache derrière le très grand sourire de ce jeune homme qui donne l'impression qu'il va s'effondrer, s'effriter, d'un instant à l'autre.

Affamé, je passe d'un corps à l'autre. J'enregistre tout. Je me reconnais à chaque fois. On va tous périr.

Mais je ne sais toujours pas quoi faire pour aider. Donner un peu d'argent ? C'est tout ? Que de l'argent ?

Je suis bloqué. Enrichi par l'amour désespéré que je vois et que je cherche dans les traits de ces migrants en fuite. Incapable de bouger pourtant. Comme si j'étais soudain moi aussi menacé ici, à Paris, en France. En Occident.

Va-t-on m'expulser moi aussi ?

Qui sait ?

Je suis devant des images. Des souvenirs remontent. Il est 5 heures du matin. Il fait noir, très froid. Une file interminable devant un bâtiment administratif. Renouveler la carte de séjour d'étudiant à Paris. Une épreuve. Un traumatisme, une certitude : je vais encore une fois tomber sur un fonctionnaire méchant, méprisant, qui ne me regardera même pas et qui jettera par terre mes papiers, mes documents. Comme au Maroc, il manque toujours quelque chose. Toujours. Je ne dis rien. Je me baisse. Je ramasse les papiers. Cela prend un temps fou. Je me relève. Je dis au fonctionnaire, en me forçant à ne surtout pas être ironique : Merci, au revoir. Je sors dans un silence glacial. Les autres étudiants étrangers regardent, ils n'ont aucun intérêt à intervenir. Mais je sais qu'ils sont solidaires. Je le sais.

À chaque fois, j'avais envie de mourir. Tuer. Me tuer. Revenir.

Comment sortir de ce cauchemar, de cette solitude et de cette arrogance occidentale ?

Je croyais qu'à Paris j'allais être un individu libre. Je me suis trompé. Paris s'enivre de ses propres chants sur la liberté sans la donner à tous. Paris oblige aussi à baisser les yeux, à faire profil bas, à entrer dans une case, celle préparée pour vous et pour tous les autres étrangers.

Mais eux, ceux qui arrivent cet été, ne le savent peut-être pas encore. Ils n'ont pas le choix. Ils partent. Ils viennent. Ils fuient. Ils courent tous les dangers. Ils traversent les continents, les pays, les mers, les frontières et les ciels. Ils vivent l'enfer. Ils croient que l'Europe les sauvera. Ils le croient fort. Ils connaissent des histoires un peu tristes comme la mienne. Cela ne les arrêtera pas. Ils ont la foi et la force du désespoir. La plupart d'entre eux n'ont pas le choix. La vie ou la mort. Et, pour être honnête, je ne peux pas me comparer à eux. C'est indigne de se comparer à eux. Je le sais. Je le sais. Mais là, sur cet écran de télévision en permanence allumé, sur ces images en direct d'Athènes, de Budapest, de Berlin, je me reconnais dans ces corps épuisés, exténués, torturés et qui continuent de courir, d'avancer malgré tout. Ils sont noirs, blancs, ils sont morts mille fois et ils veulent vivre, vivre, vivre… J'ai eu beaucoup plus de chance que ces migrants mais cela ne m'empêche pas de ressentir une grande identification. C'est toujours la même tragédie. Exactement la même.

La nuit règne. Paris dort. Paris a chaud. Paris est en vacances. Et moi, je ne bouge pas. Mes yeux sont scotchés aux images de la télévision, à cette vague humaine qui déferle malgré les barricades et les murs et les barbelés. Malgré la mort certaine.

Ce n'est pas un spectacle. Pas pour moi.

Ce ne sont pas que des nouvelles à la Une d'un journal. Des événements dramatiques lointains qui émeuvent mais qu'on décide d'oublier aussitôt. Cette fois, c'est impossible d'oublier, de prendre ses distances, de trop intellectualiser les choses.

Il faut agir. Faire vraiment quelque chose. Un nouveau sens.

Au bout de la nuit, j'ai fini par trouver. Je sais. Je sais comment aider. Je sais maintenant comment être dans la solidarité concrète.

Je ferme les yeux quelques secondes. Malgré moi des prières en arabe viennent en moi, pour eux et pour moi.

J'ouvre les yeux. Je suis cette fois-ci avec eux, au milieu d'eux, loin de la télévision.

La tragédie est beaucoup plus grande que je ne l'avais ressentie, imaginée.

PHILIPPE TORRETON
Partir

Partir en peur, en larmes sous les armes, le sang partout, par terre, les ruines de son pays, regarder son quartier déchiré dans le rétroviseur brisé, partir parce qu'on est juif, chiite, chrétien ou sunnite, partir parce qu'on n'est ni juif ni chiite ni sunnite ni chrétien, parce que les bombes tombent, parce qu'on ne sait plus qui vous en veut à mourir, parce qu'on ne sait plus qui voudrait de vous à en vivre.

Partir et sauver ce qui reste d'une famille, pour garder des photos vivantes. Partir et payer le prix fort au passeur, prier pour que ça passe aux frontières, payer le gilet, le téléphone et payer encore de sa personne, et garder précieusement ses yeux pour pleurer.

Partir en mer et se maudire dans les larmes de sa fille, se noyer dans le silence de sa femme, en être arrivé là, et boire sa honte de ne pas avoir su offrir aux siens un monde tranquille, en être là, à bout de mer, au raz des peurs, à fleur de nerfs, resserrer les brassières, vérifier le téléphone, écouter les bruits du moteur, prier tous les dieux de la terre, prier et payer, payer de ses pieds lorsque la terre ferme commence.

Partir sur une route inconnue, partir par là parce qu'il paraît que c'est par là, partir et revenir sur ses pas blessés, parce que ce n'était pas par là ou plus par là, parce qu'on ne sait pas, repartir parce que par là-bas il y a maintenant des barbelés, là où l'on pouvait passer on ne passe plus, il va falloir expliquer aux siens qui pleurent, aux siens qui ne parlent plus que la terre d'accueil promise est finie, ce sera plus loin, ce sera plus long encore plus long, nous accueillir est compliqué, combien, ils en discutent, ils parlent quotas, pas d'accord entre eux, accueillir les comme eux, ceux qu'ont le même dieu, ceux qui leur seront utile à un quelque chose, accueillir les plus riches, les instruits, les qu'ont quelque chose à leur donner, avons-nous quelque chose à leur donner, sommes-nous utile à quelque chose, avons-nous de quoi passer, avons-nous de quoi être accueilli, dans les trains, qui devraient partir pour une terre de repos, mais c'est rude au pied des trains, on tape pour qu'on ne monte pas, avant sur ces mêmes terres on tapait au pied des trains des gens qui ne voulaient pas partir, l'accueil est casqué, l'accueil est musclé, bondé, saturé de comme nous qui veulent se poser, l'accueil baisse les bras là où il les ouvrait, l'accueil s'emmêle dans la politique, l'accueil se prend les pieds dans les invectives des fascistes, l'accueil n'a pas confiance en lui, nous faisons réagir, notre nombre, notre religion et cette odeur de mort qui nous suit, ça fait réagir, cette foule que je suis, cette foule qui me suit, cette foule que j'ai suivi fait réagir, des clôtures en barbelés bâties en hâte par de la main-d'œuvre emprisonnée en tenue grise comme les souvenirs, ça fait réagir, un petit dormeur la tête dans la mer qui barbote dans sa mort, ça fait réagir, mais pour combien de temps, encore combien d'enfants. Combien de morts pour que vous compreniez que cette guerre que l'on fuit est la vôtre, que ces gens qui fuient c'est vous.

Minh Tran Huy

Lundi matin

« Le goulot de l'Europe vers l'Angleterre » : tel est le surnom qu'un afflux croissant de clandestins a valu au port de Calais. Tous ont pour objectif la traversée vers la Grande-Bretagne, perçue comme un eldorado en raison d'une législation favorable aux demandeurs d'asile. Malgré un récent durcissement, rien ne semble pouvoir enrayer la tendance. Selon le ministère de l'Intérieur, « 10 800 personnes en situation irrégulière ont été interpellées dans la région du Calaisis depuis août dernier ».

Vendredi 16 juin, le soir.

Nous sommes arrivés il y a une semaine à Rotterdam, aux Pays-Bas. Plus de 8 000 kilomètres de chez nous – j'ai parfois du mal à y croire. Je ne sais pas quand nous repartirons, mais cela ne devrait pas tarder. Je préfère t'écrire dès maintenant car je ne suis pas certain d'en avoir à nouveau le temps et l'occasion. Si les choses se déroulent comme prévu, nous suivrons un premier itinéraire qui nous mènera en Belgique, dans une ville qui porte un drôle de nom : Zeebrugge. De là, on embarquera dans un ferry à destination de

Douvres. Je posterai la lettre dès que je serai arrivé, comme ça tu n'auras plus de raison de t'inquiéter.

Je ne t'ai pas écrit plus tôt parce que je n'ai qu'une feuille de papier, et aucun moyen de m'en procurer davantage. Pareil pour le bout de crayon sans lequel je ne pourrais gribouiller ces mots : je l'ai eu grâce à l'un de mes compagnons qui l'a trouvé par terre et me l'a prêté. Nous disposons de si peu que chaque chose est précieuse. Notre groupe comprend cinquante-huit personnes. Plutôt jeunes dans l'ensemble – je dirais entre dix-huit et trente-cinq ans. Et tous de la même région, ce qui n'est pas mal : on peut discuter, même si personne n'a vraiment le cœur à ça. Il n'y a que quatre femmes. Aucun enfant. C'est tant mieux, car le voyage n'est pas de tout repos.

Depuis la guerre du Kosovo, la pression aux frontières de l'Europe occidentale atteint un niveau alarmant. L'Organisation internationale pour les migrations (OIM), qui dépend des Nations unies, estime qu'entre 300 000 et 500 000 clandestins sont arrivés en Europe dans la dernière décennie. Toutes les statistiques sont à la hausse. En France, ainsi, le nombre de demandeurs d'asile a augmenté de 50 % depuis le début de l'année, pour s'établir selon l'OFPRA (Office français de protection des réfugiés et apatrides) à environ 50 000 personnes ; tandis que l'Angleterre compte environ 100 000 migrants en attente de régularisation, contre seulement 46 000 il y a deux ans.

C'est dans un hangar qu'on nous a installés, entassés les uns contre les autres. Nous sommes épuisés et n'avons presque rien à manger, à part du pain rassis et des fruits blets, si mûrs qu'ils se liquéfient entre nos mains. Nous faisons nos besoins dans des seaux communs, et ne pouvons pas nous laver car nous manquons d'eau. Il nous est interdit de sortir.

Un de mes voisins m'assure que nous allons partir dans quelques heures. Je ne sais pas trop d'où vient cette rumeur, mais j'espère que c'est vrai. On nous l'a annoncé tellement souvent… Il faut dire que les contrôles des véhicules où se cachent des gens comme nous se multiplient, à ce qu'il paraît. Et comme nous sommes très nombreux, beaucoup plus nombreux que je n'aurais cru (on m'avait dit que nous ne serions pas plus de vingt, trente au grand maximum), l'entreprise est particulièrement risquée. Mais il fallait s'y attendre.

La région de Calais est avec Modane, à la frontière italienne, le principal point de passage des candidats à l'immigration clandestine, qui traversent la France pour se diriger vers la Grande-Bretagne, la Belgique ou l'Espagne. Un phénomène qui crispe les relations aux frontières : des échauffourées ont régulièrement lieu à Douvres, entre jeunes Anglais et réfugiés. Depuis l'instauration de l'espace Schengen, la presse outre-Manche se déchaîne, n'hésitant pas à accuser la France d'être une « passoire » et de se servir de la Grande-Bretagne « comme d'une poubelle ».

Nous serons cachés à l'arrière d'un camion frigorifique transportant des légumes – sans doute des tomates. Les cageots dissimuleront une fausse cloison derrière laquelle nous pourrons nous asseoir à même le sol. Nous n'avons pas le droit de prendre le moindre bagage. J'ai réussi à cacher un peu d'argent. Je ne te dis pas où, parce que l'un de mes compagnons pourrait lire la lettre. Nous n'avons plus grand-chose d'humain, tu sais. Nous sommes si fatigués et si tendus que nous ne nous parlons pratiquement plus. Nous sentons la sueur, la crasse, l'angoisse – une odeur plus âpre encore que celle des excréments de canard qui fertilisent nos rizières. On nous nourrit et on nous parque comme des bêtes. En plus, il fait très chaud. Le jour passe à peine entre les tôles des murs et du toit, mais le soleil frappe dur, c'est la fournaise. Chaque matin j'attends la nuit avec impatience.

Les filières de transport des clandestins s'organisent et prospèrent sous la férule des mafias des pays de l'Est et des « triades » chinoises. La direction de l'immigration britannique estime à plus de 5 milliards d'euros le chiffre d'affaires annuel de ce commerce d'êtres humains. Un marché particulièrement rentable – certains passeurs exigent jusqu'à 5 000 euros pour un simple passage de Calais à Douvres – et peu risqué sur le plan pénal. En Angleterre, les passeurs risquent au maximum une amende de 10 000 euros. En France, jusqu'à cinq ans de prison. « Une peine rarement prononcée », selon un officier de la Police de l'air et des frontières.

Quand je serai en Angleterre, la situation se dénouera d'elle-même. Tout est prévu, même au cas où je serais arrêté : on m'a remis le numéro d'une femme qui vit là-bas depuis quatre ans et pourra m'aider à remplir les papiers pour la demande d'asile. Je rejoindrai l'aîné de mes cousins, il me présentera au patron de l'atelier et m'hébergera comme promis. Savoir qu'il m'a trouvé un lit et un travail m'aide à supporter l'attente. Si j'ai bien tout calculé, j'aurai de quoi vous faire venir, toi et les enfants, dans dix mois à peu près. Pour les papiers, il faudra sans doute encore deux, trois ans. Nous devrons faire attention, bien entendu, et ce ne sera sans doute pas facile tous les jours. Mais tu imagines ? Nous mangerons à notre faim. Nous aurons un coin à nous. Les enfants pourront aller à l'école. Et nous aurons le droit d'aller et venir. Le droit de dire ce que nous pensons. Le droit d'être heureux. Enfin, nous en avons déjà discuté, je ne vais pas recommencer alors que tu n'es même pas là pour me répondre.

Par mer ou par route, ils sont des dizaines de milliers à tenter de pénétrer dans l'un des pays riches d'Europe. En novembre dernier, onze Marocains ont été découverts à Vitrolles, dans la remorque d'un camion ; ils avaient traversé la Méditerranée cachés dans un conteneur de farine embarqué à Fès (Maroc). En mai, c'est sous le capot d'une voiture que la Police de l'air et des frontières a repéré un jeune clandestin marocain. Arrêté au Perthus, il voulait se rendre en Italie. Tout récemment, le 7 juin, un groupe de dix Turcs a été découvert dans le wagon d'un train de marchandises en gare de Bourg-en-Bresse. Une femme et deux enfants ont dû être hospitalisés.

Je pense à toi à chaque minute. Je t'imagine le matin, avec cette façon que tu as de dormir sur ton bras replié, et tes cheveux qui couvrent tout ton dos comme une cape. Les rayons du jour qui éclairent ton visage et tombent sur les draps jusqu'à les bleuir. Le grain de beauté sur ton épaule gauche. Tu te réveilles avec un soupir. Tu t'étires. Un peu d'eau sur le visage, et puis tu noues tes cheveux en un chignon dans lequel tu glisses une épingle de cuivre – ta préférée, ornée d'une étoile de nacre pas plus grosse que l'ongle d'un nouveau-né. Tu portes ta robe rouge, qui te donne l'éclat d'une pivoine tout juste épanouie. Tu es très belle, comme toujours. Je t'aime.

Dimanche.
On nous appelle. Le voyage va commencer.

Lundi 19 juin au matin, un contrôle de routine sur un camion frigorifique venu de Zeebrugge et transportant des tomates a permis de découvrir les corps asphyxiés de cinquante-huit clandestins d'origine asiatique cachés à l'arrière[1].

1. J'ai écrit ce texte en 2000, l'année où s'est produit ce terrible « fait divers ». Les données figurant dans les passages en italique sont issues de divers articles de journaux parus cette même année. Le temps passe, mais certaines choses ne changent pas.

LEWIS TRONDHEIM

Valérie Zenatti

Europe, une nuit

Plongée dans la nuit, l'Europe dort. Sa respiration lourde, proche du ronflement, s'arrête brutalement. Silence de l'apnée.

Une silhouette s'étire à l'est, se redresse, avance. Sa démarche hésitante indique un étonnement profond. L'homme (car nous distinguons à présent qu'il s'agit d'un homme) est désorienté. Il chuchote.

Tu dors ?

L'Europe ne répond pas. Son corps indolent et lourd se retourne, le souffle reprend, plus régulier et ténu à présent. L'homme est désarçonné. Il pose une main sur l'épaule du Vieux Continent, à la hauteur de l'Autriche, qu'il connaît bien. Il la secoue doucement.

Tu m'entends ?

L'Europe grommelle des paroles incompréhensibles et enfouit sa tête sous les draps. L'homme renonce. Il plisse les yeux pour se repérer dans l'obscurité.

Il y a quelqu'un ?

Une silhouette féminine vêtue d'un short en jean et d'un tee-shirt barré de l'expression *I will survive* apparaît à l'ouest et marche vers l'homme qui la contemple, soulagé.

Ah ! Enfin.

La jeune femme fait quelques pas encore, s'arrête devant l'homme, le dévisage, porte sa main à sa bouche en écarquillant les yeux.

Joseph ? C'est vraiment vous ?

Flatté d'être reconnu par une jeune femme vêtue de manière aussi originale, l'homme hoche la tête.

Oui.
(Il fronce les sourcils, gêné d'avoir mauvaise mémoire.)
Nous nous connaissons ?

Vous non, mais moi oui. Je vous ai lu. Enfin, pas tout, mais *La Marche de Radetzky*, *Job*, vos *Croquis de voyage* et *Juifs en errance*.
(Elle sort le livre de la poche arrière de son short.)
Il ne me quitte plus.

L'homme, que nous appellerons désormais Joseph, sourit modestement. Il a beau avoir des tendances un peu dépressives, il est heureux de savoir qu'on le lit, comme tout écrivain, surtout si longtemps après sa mort. Il ouvre la bouche pour remercier la jeune femme, lui demander son nom et lui poser les questions qui le tenaillent, mais elle l'arrête brusquement.

> Non ! Ne me demandez pas ce qui s'est passé ici depuis votre absence. Je serais incapable de vous le raconter. Ça ne se résume pas. Vous ne me croiriez pas. Enfin si, parce que vous aviez deviné la Catastrophe mais pas à ce point, ce n'est pas possible. Personne ne pouvait savoir.

Joseph lance un regard au corps replet de l'Europe. Elle n'a pas l'air d'aller si mal, elle a même pris un peu de poids, et cela lui sied plutôt bien. Mais le visage tourmenté de la jeune femme l'inquiète. Saisi d'un vertige, il s'assied, en l'invitant d'un geste à faire de même. On entend le ressac des vagues. La jeune femme fixe une ligne invisible vers le sud. Elle chuchote.

> Écoutez. Chaque nuit ils sont des centaines, entassés sur des canots à moteur qui n'ont même pas assez d'essence pour arriver à bon port. Ils ont froid, ils ont peur, ils ont espoir. Parfois, l'embarcation se renverse. Ils se noient.
>
> (Un temps.)
>
> Des hommes, des femmes, des enfants. Ils meurent parce qu'ils veulent vivre. Ici.

Joseph contemple le visage ému de la jeune femme, qu'un rayon de lune éclaire à présent. Elle se tourne vers lui, un sourire aux lèvres, et désigne le livre qu'elle tient à la main.

> C'est curieux, il y a quelques jours à peine, je disais à une amie qu'il manquait quelqu'un comme vous aujourd'hui. Quelqu'un capable d'arpenter l'Europe et ses frontières, d'aller là où les populations vivent, souffrent ; d'où partent-elles ? où arrivent-elles ? dans quelles conditions vivent-elles cette errance ? Quelqu'un qui verrait, dirait, et laisserait deviner le sens de tout cela. Quelqu'un qui décrirait le mouvement de l'Histoire comme vous l'avez fait, en étant juste et lucide.

Joseph est à la fois touché et agacé. L'enthousiasme de la jeune femme à son égard lui semble anachronique (et pour cause). Il soupire.

> Vous savez… Personne n'a particulièrement tenu compte de mes textes. Je les ai écrits, ils ont été publiés, certains les ont lus, et rien de tout cela n'a empêché la Nuit de cristal, ni les Lois de Nuremberg, ni… *le reste*, apparemment, ce que vous savez et que j'ignore, ce qui s'est passé ici après 1939. On écrit, on croit que l'on dénonce, que l'on va ouvrir les yeux à ses contemporains, mais ce sont les gestes qui comptent. Un doigt sur une gâchette, une main qui ouvre une porte, ou qui la claque.

La jeune femme baisse la tête, honteuse de sa naïveté. Mais la voix de Joseph lui a parlé si doucement qu'elle en tire du réconfort. Et puis il est là, assis à côté d'elle, ses bras enserrant ses genoux pliés, contemplatif. C'est suffisamment inespéré pour être une sorte de bonheur.

Joseph regrette d'avoir été sévère : chercher à comprendre son époque n'est pas un défaut. On se débat avec ce que l'on sait du monde, ce que l'on nous en dit, ce que l'on voudrait croire. On s'acharne à relier les faits et la pensée, à se forger une conviction, à faire des choix en espérant que l'on ne se trompe pas, que l'on ne participe pas malgré soi à la mise en œuvre du chaos. Il y a de quoi devenir idéaliste, ou fou. Il tend son menton vers le sud.

Et donc, ils viennent chercher refuge
en Europe ?

Oui.

Il regarde ses yeux rougis et cernés.

Vous aussi vous souffrez d'insomnie ?

La jeune femme hoche la tête. Une brise fraîche souffle sur eux en provenance du sud, le ressac de la mer s'amplifie. La jeune femme jette un coup d'œil à l'Europe endormie.

Si vous saviez comme j'ai cru en elle. Plus
de frontières, libre circulation des êtres, des

> marchandises. Je rêvais d'enfants parlant quatre ou cinq langues, d'un chant commun, d'un nouveau monde. On avait enfin décidé de ne plus se faire la guerre et il y avait tant à construire. Mais je m'étais trompée. On nous a trompés.
>
> (Un temps.)
>
> Elle est devenue l'Europe économique, elle n'a plus que les mots *Banque centrale* à la bouche, *stabilisation de la zone euro* et *équilibre budgétaire*.

Elle soupire et arbore le pauvre sourire de ceux qui contemplent leurs rêves de jeunesse tombés en poussière. La voix de Joseph descend d'une demi-octave pour dire :

> Et pourtant, ils rêvent d'elle, parce qu'elle reste désirable. Comme d'autres avant eux, ils placent leurs espoirs en elle parce que le pays qu'ils ont quitté a épuisé en eux l'espoir de voir grandir leurs enfants dignement. *Les émigrés sont donc ceux qui sont fatigués de ces luttes mesquines et cruelles, qui savent, sentent, ou seulement pressentent que des problèmes bien différents se posent à l'Ouest, outre les problèmes nationaux, que les querelles nationales à l'Ouest ne sont que le bruyant écho d'hier, seulement un bruit pour le temps présent, qu'une pensée européenne est née à l'Ouest qui, après-demain ou plus tard encore, et non*

> *sans souffrance, mûrira et deviendra une pensée universelle*[1].

La jeune femme se lève et frotte ses bras pour les réchauffer.

> *D'autres émigrent parce qu'ils ont perdu leur métier, leur travail, ou parce qu'ils n'en trouvent pas. Prolétaires même s'ils n'ont pas toujours de conscience prolétarienne, ils sont en quête de pain. D'autres fuient la guerre ou la Révolution. Beaucoup partent par instinct et sans bien savoir pourquoi. Ils obéissent à un vague appel de l'étranger, ou bien à l'appel précis d'un parent qui a fait fortune, au désir de voir le monde, d'échapper à la prétendue étroitesse de leur pays natal, à leur volonté d'agir et de faire valoir leurs forces.*

Son regard se perd vers un ruban d'aube clair qui se déploie à l'est. Elle se tourne vers Joseph pour admirer avec lui le spectacle innocent d'un jour qui se lève. Il a disparu. L'Europe commence à remuer. Dans le sud des voix s'élèvent. La jeune femme avance à grandes enjambées, arrive en lisière de la mer, s'avance encore, elle a de l'eau jusqu'aux genoux.

1. Les phrases en italique sont extraites de *Juifs en errance* de Joseph Roth, traduit de l'allemand par Michel-François Demet, Éditions du Seuil, 2009.

Mon Dieu. On est arrivés. Fais attention, ne te penche pas. Tiens-moi la main, embrasse le sol. Regarde mon enfant. Ici c'est l'Europe, ici c'est la vie, ici c'est la liberté, ici c'est toi qui en sauras bientôt plus que nous, toi qui iras à l'école, qui nous apprendras une langue que nous ne connaissons pas. Toi qui corrigeras nos fautes.

C'est là, viens. Regarde comme c'est beau.

FIN

Alice Zeniter

Vous ne savez pas ce qu'est un pays

Ils font entrer l'homme dans un bureau. Au même moment, dans des bureaux similaires, répartis le long d'un couloir qui ressemble à celui de votre ancienne école, de votre ancien centre aéré ou de votre future maison de retraite, d'autres hommes entrent timidement. Les bureaux sont similaires, et peut-être que les hommes aussi. En tout cas, il y a un problème : personne ne parvient à les différencier. Lesquels méritent le nom de réfugiés ? Lesquels ne sont que des migrants ? Et pourquoi est-ce si difficile de le déterminer rien qu'en les regardant ? Pourquoi ces hommes n'ont-ils pas pris la peine d'avoir des visages qui les distinguent clairement ? Prennent-ils plaisir à cette confusion ? Refusent-ils sciemment de nous faciliter la tâche ?

L'homme entre, donc, dans l'un de ces bureaux qui se ressemblent tous. En face de lui, ils sont trois. On le regarde. On l'invite à s'asseoir, comme s'il était un enfant. On lui demande :

– Pourquoi êtes-vous là ?

Il dit :

– Parce que je n'ai plus de pays.

On lui demande :
– Quel était votre pays, monsieur ?
Il répond :
– Je n'ai plus de pays.
On insiste. Il dit :
– Ils ont bombardé mon pays.
– C'est un Syrien, dit le traducteur.
– Pas forcément, dit l'autre. Il peut être irakien.
– Est-ce qu'il y a des bombardements en Érythrée ?
Personne ne sait.
– Ils ont bombardé mon pays, répète l'homme, je n'ai plus de pays.
– Comment s'appelle votre pays ? demande doucement le traducteur.

L'homme ne dit rien. Dans ses yeux, il n'y a que du noir. Comme si la pupille avait mangé l'iris. Comme si ses yeux n'étaient que deux trous.

– Comment s'appelle votre pays ?

L'homme commence à se balancer doucement d'avant en arrière, en gémissant très bas. Personne ne l'interrompt. Ils ont trop peur que ce soit un rituel. Et si c'en est un, est-ce qu'il est identifiable ? Est-ce que c'est un rituel de migrant ? Ou bien de réfugié ? Est-ce que l'on bouge de cette manière en Syrie ? Le traducteur croit avoir vu des comportements similaires chez les Irakiens. Mais le troisième homme, derrière le bureau, pense que cela peut venir d'Érythrée.

– Leïla, murmure l'homme – toujours en se balançant.
– Pardon ?
– Leïla était mon pays.

Derrière le bureau, les trois hommes se concertent. Cela ne constitue pas une réponse valable.

– Est-ce que Leïla est une ville, monsieur ?
– Non.
– Est-ce que Leïla est une région ?
– Est-ce que Leïla est une femme ?
L'homme gémit plus fort.
– Leïla est une femme ?
Il hoche la tête.
– Une femme n'est pas un pays, dit le traducteur, on ne peut pas mettre ça dans le dossier.

Le deuxième, qui se pique de poésie, demande qu'on prenne un instant pour y réfléchir. Après tout, peut-être, si l'on était moins scolaire, pourrait-on considérer qu'une femme est un pays.

– Je ne vois pas du tout ce que tu veux dire, répond le troisième que la poésie n'intéresse pas.

– Je me disais, commence à rêver le deuxième, que si une femme veut accueillir un homme, si elle veut de lui chez elle, en elle, si elle est prête à lui ouvrir sa porte, son lit, ses jambes, s'il peut trouver asile contre sa poitrine, alors on peut – peut-être – dire que cet homme a un pays. Très certainement, il n'est plus étranger.

– C'est joli mais c'est rhétorique, objecte le traducteur.

Et l'homme assis en face d'eux, avec ses yeux comme des puits plongeant droit vers les douleurs de sa tête, arrête de se balancer tout à coup. Il se tient droit sur sa chaise en plastique comme s'il avait été, lui aussi, formé d'une barre de fer pliée à angles droits, une fois aux hanches, une fois aux genoux. Et dans son anglais qui trébuche et qui roule, dans son anglais qui paraît se heurter aux reliefs de sa bouche, aux crêtes de ses dents, il dit :

– Leïla est un pays. Un pays qui n'était qu'à moi. Je ne veux pas d'autre identité. Ma terre d'accueil, c'était son corps et les vallées de son corps. Je ne demandais pas plus de terre que ce que je pouvais en travailler, juste la parcelle de son corps, et son ventre et ses seins. Leïla était un territoire indépendant dont aucune armée ne pouvait me chasser. Elle régnait seule, indépendante, entre les frontières de sa peau. Et c'est elle, en souveraine, qui a ouvert les jambes et qui m'a laissé entrer dans son pays, profond, au plus profond, et c'est elle seule qui pouvait m'en exiler. Leïla était mon paysage, mon horizon, les vallons de ses fesses et de ses épaules, la longue tresse qui coulait en rivière le long de son cou et entre ses seins. Je connaissais par cœur la géographie de ses terres. Je suis le seul à pouvoir tracer les cartes du corps de Leïla. Et je parle la langue de ce pays-là mieux qu'aucune autre. C'est en reine qu'elle m'a dit de venir et qu'elle m'a accueilli, ma terre d'accueil. J'ai encore la marque de ses morsures comme autant de laissez-passer sur ma peau. Je ne veux pas d'autre passeport. C'était son corps qui me nourrissait et qui me remplissait les mains, c'était son corps mon pays généreux, la beauté de son corps chaud et nu qui m'attendait, qui demandait à ce que je me pose ou que je m'amarre à sa vie, à son désir et que je laboure des terres vivantes. Tant que Leïla était vivante, reine et pays, je n'étais nulle part un étranger. J'avais le désir pour passeur et le médaillon de ses griffures sur ma poitrine, et son plaisir en drapeau.

L'homme se tait. Puis – chose incroyable, chose qu'on n'a jamais vue dans ce bureau de métal et de plastique, ni dans aucun des autres bureaux similaires qui s'étendent de part et d'autre de celui-ci, tout au long d'un couloir qui n'a rien de particulièrement *humain* – il sourit.

– Mais vous, dit-il avec douceur aux trois hommes qui lui font face, vous êtes privés de pays parce que vous croyez ceux qui vous disent que la terre s'obtient par le couteau et par les balles, vous croyez que la terre se protège par des postes-frontières et des lignes de barbelés. Vous ne savez pas ce que c'est d'avoir un pays. Vous ne savez rien.

Ses trois interlocuteurs hésitent. Ils voudraient demander ce qui est arrivé à Leïla, mais ils ont peur que cette question éteigne le sourire sur le visage de l'homme et que ce moment suspendu prenne fin. Ils ont peur que le bureau redevienne un bureau et que l'homme redevienne un migrant, ou un réfugié, ou quel que soit le statut qu'ils devront lui donner à la fin de cet interrogatoire. Alors ils se taisent. Ils font défiler en secret, derrière leur mine impassible, la fragile armée des ombres que forment les femmes qu'ils ont aimées. Et peut-être que l'un d'entre eux commence lentement, imperceptiblement, à sourire, imité ensuite par les deux autres.

Ils oublient de parler.

Et, dans le silence, le souvenir de Leïla danse sur le bureau de métal et de plastique, redessinant de ses pieds fantômes les lignes et les courbes d'un pays qui n'existe plus.

Quelques partenaires du HCR

La Cimade

Luttant contre toute forme de discrimination, la Cimade défend depuis 1939 les droits des personnes réfugiées et migrantes. Présente dans les centres de rétention administrative et les établissements pénitentiaires, la Cimade, en collaboration avec le HCR, mène des campagnes de plaidoyer auprès des décideurs et s'efforce d'informer et de sensibiliser l'opinion publique sur les réalités migratoires.
Pour en savoir plus : www.lacimade.org

Comede

Depuis sa création en 1979, le Comede travaille à la promotion de la santé, de l'accès aux soins et de l'insertion des exilés. En 35 ans, l'accueil, le soutien et le soin global de de plus de 100 000 personnes de 150 nationalités ont permis au Comede de développer une expertise unique pour la santé et l'accès aux soins des exilés en France. Les activités d'accueil, soins et soutien, et de recherche, information et formation sont indissociables pour répondre aux objectifs de l'association.
Pour en savoir plus : www.comede.org

Elena

Association d'avocats liés au Conseil européen pour les réfugiés et exilés, Elena France mène des actions de plaidoyer auprès des autorités françaises et du Conseil européen pour la sensibilisation au droit d'asile et le respect des conventions internationales en vigueur. Très engagée, elle collabore étroitement avec le HCR pour faire valoir le droit des réfugiés et des exilés.
Pour en savoir plus : www.facebook.com/Elena-France-105541203113942

Forum réfugiés-Cosi

Partenaire du HCR, Forum réfugiés-Cosi gère des plateformes d'accueil et d'orientation, des centres d'hébergement et des programmes d'intégration pour les demandeurs d'asile, les réfugiés et les mineurs isolés étrangers. L'association assure également des consultations médicales auprès des personnes exilées victimes de persécutions et de torture. Enfin, l'association propose des formations pour les professionnels et bénévoles intervenant auprès des demandeurs d'asile et réfugiés, et même des actions de plaidoyer et de sensibilisation du grand public.
Pour en savoir plus : www.forumrefugies.org

La FNARS

Réseau de lutte contre les exclusions, la FNARS (Fédération nationale des associations d'accueil et de réinsertion sociale) regroupe 870 associations de solidarité et organismes publics qui accueillent et

accompagnent les plus démunis. Elle fédère notamment 60 % des centres d'accueil pour demandeurs d'asile, la moitié des plateformes associatives de premier accueil pour demandeurs d'asile et un grand nombre de centres d'hébergement d'urgence pour demandeurs d'asile. En favorisant l'émergence d'espaces d'échanges entre tous les acteurs du secteur social depuis 1956, elle défend la participation des personnes en difficulté et réfléchit aux politiques publiques qui les concernent.
Pour en savoir plus : www.fnars.org

France terre d'asile

En partenariat avec le HCR, France terre d'asile mène depuis sa création, en 1970, des missions qui couvrent tout le parcours des réfugiés et des apatrides, de l'accueil, l'accompagnement et l'hébergement en Cada, à l'intégration des réfugiés, en passant par l'assistance sociale et administrative pour les demandeurs d'asile. L'association prend également en charge les mineurs isolés étrangers et est actuellement très active à Calais, où vivent à ce jour près de 6000 migrants. Plus de 5000 personnes sont ainsi prises en charge par France terre d'asile sur tout le territoire français.
Pour en savoir plus : www.france-terre-asile.org

Secours catholique

À travers ses 4000 équipes locales, le Secours catholique se mobilise depuis 1946 en France et en outre-mer pour s'attaquer à toutes les causes de pauvreté, d'inégalités et d'exclusion. L'association interpelle l'opinion et les pouvoirs publics pour proposer

des solutions pérennes, tout en plaçant au cœur de son action la participation des personnes accompagnées et le renforcement de la capacité de tous à agir ensemble. À l'international, le Secours catholique apporte son soutien dans plus de 70 pays et territoires en lien avec le réseau mondial Caritas Internationalis.
Pour en savoir plus : www.caritas.org/fr/

SINGA

Créée en 2012, Singa est une association française qui met en place des espaces de dialogue et de rencontre afin de faciliter l'intégration des réfugiés dans les sociétés d'accueil. Son action vise également à accompagner les réfugiés dans l'élaboration de projets professionnels et entrepreneuriaux. En 2015, Singa a mis en place le dispositif CALM (Comme à la maison) qui permet aux particuliers le désirant de loger un réfugié à travers une plateforme où 12 000 propositions d'hébergement ont déjà été enregistrées à ce jour. Le HCR s'associe avec Singa pour mener des campagnes de sensibilisation, notamment le 20 juin, à l'occasion des célébrations de la journée mondiale du réfugié.
Pour en savoir plus : www.singa.fr

Le HCR
et les Éditions Points
remercient de leur soutien :

LIVRES HEBDO
Le Monde
nova aime

L'OBS
Le Point
PSYCHOLOGIES

Télérama

RÉALISATION : NORD COMPO À VILLENEUVE-D'ASCQ
IMPRESSION : CPI FRANCE
DÉPÔT LÉGAL : DÉCEMBRE 2015. N° 130887 (3013818)
IMPRIMÉ EN FRANCE